Die spirituellen Gesetze von ECK

Weitere Bücher von Harold Klemp

Ask the Master, Book 1
Ask the Master, Book 2
Das Buch der ECK Parabeln, Band 1
The Book of ECK Parables, Volume 2
The Book of ECK Parables, Volume 3
The Book of ECK Parables, Volume 4
Kind in der Wildnis
The Living Word
Seelenreisende des Fernen Landes
The Spiritual Exercises of ECK
The Temple of ECK
The Wind of Change

The Mahanta Transcripts Series

Journey of Soul, Book 1
Wie man Gott findet, Band 2
The Secret Teachings, Book 3
The Golden Heart, Book 4
Cloak of Consciousness, Book 5
Unlocking the Puzzle Box, Book 6
The Eternal Dreamer, Book 7
The Dream Master, Book 8
We Come as Eagles, Book 9

Dieses Buch wurde vom Mahanta, dem Lebenden ECK-Meister, Sri Harold Klemp, geschrieben und unter seiner Aufsicht veröffentlicht.

Die spirituellen Gesetze von ECK

Harold Klemp

ECKANKAR
Minneapolis, MN

Die spirituellen Gesetze von ECK

Printed in U.S.A.

Zusammengetragen von Myrtis Affeld

Bearbeitet von Joan Klemp
Anthony Moore
Mary Carroll Moore

ISBN : 1-50743-107-8

Mit besonderem Dank an alle,
die an der deutschen Ausgabe mitgearbeitet haben.
Für sie war es ein Geschenk der Liebe.

Das Grundprinzip des Seelenreisens ist, daß der Mensch selbst Spirit ist, daß er Verantwortung für seinen Seelenkörper übernehmen und sich willentlich von den sichtbaren Ebenen in die unsichtbaren Welten begeben kann. Wenn er darin erfahren wird, so sind die positiven Folgen Freiheit, Güte und Weisheit. Dies sind die Gotteseigenschaften, die in jeder Seele verborgen liegen und auf die Sie aufmerksam gemacht werden muß, um Ihr wahres Selbst in all Seiner Herrlichkeit zu entfalten.

— Paul Twitchell

Übersetzt aus *ECKANKAR* — *The Key to Secret Worlds*

Inhaltsverzeichnis

Gesetze der Weisheit — Die Gesetze von der göttlichen Macht und wie Sie sich im Universum manifestiert.

Gesetze der Freiheit — Die praktischen Gesetze, die den Weg durch das tägliche Leben ebnen.

Gesetze der Nächstenliebe — Die Gesetze, die der Seele größere Fähigkeit zur Liebe geben.

Vorwort

Spirituelle Gesetze beherrschen unsere inneren und äußeren Universen. Sich dieser wesentlichen Gesetze von ECK bewußt zu werden, ist die notwendige Grundlage, um die inneren Welten Gottes durch Seelenreisen zu erforschen. Wie Sri Harold Klemp, der Mahanta, der Lebende ECK-Meister in seinem Buch *Wie man Gott findet* schreibt:»Der wirkliche Zweck dieses Lebens ist es, die spirituellen Gesetze zu lernen, damit wir Meister in unserem eigenen Recht werden.«

Aber die Gesetze zu erlernen ist nur der erste Schritt; ihre liebevolle Anwendung in den kleinen Dingen des Lebens ist das Zeichen wahrer Bewußtheit. Diese Bewußtheit entsteht durch das regelmäßige Praktizieren der Spirituellen Übungen von ECK, die dem Chela Erfahrungen mit dem Licht und Ton Gottes geben.

Dieses Buch enthält gedankenanregende Zitate von zwei ECK-Meistern, Sri Harold Klemp und Paul Twitchell, die die spirituellen Gesetze lebten und die dem Sucher praktische Methoden zeigen können, sie zu verstehen und anzuwenden. Auf diesen Seiten finden Sie viele ausgezeichnete Werkzeuge, Ihre eigenen spirituellen Studien und Ihren Weg zu Meisterschaft zu beleben.

ix

Gesetze der Weisheit

Die Gesetze von der göttlichen Macht und wie
Sie sich im Universum manifestiert.

Kausalität

Kausalität: Das Rad des Lebens, das ein Faktor in menschlichen und spirituellen Lebenszyklen ist; Karma.

Übersetzt aus *ECKANKAR Dictionary*, S. 21

Der ECK-Kraft, die die Intelligenz ist, welche den gesamten Raum durchdringt und alle Lebewesen belebt; diese mentale Aktion und Reaktion ist das Gesetz der Kausalität. Das Prinzip der Verursachung beginnt nicht im Individuum, sondern in der kosmischen Kraft. Es ist keine objektive Fähigkeit, sondern ein subjektiver Prozeß, und die Resultate werden in einer unendlichen Vielfalt von Bedingungen und Erfahrungen sichtbar.

Um Leben auszudrücken, muß es die Kraft geben. Nichts kann ohne die kosmische Kraft existieren. Alles, was existiert, ist eine Manifestation dieser zugrundeliegenden Kraft, aus der und durch die alle Dinge geschaffen wurden und fortwährend geschaffen werden.

Der Mensch lebt in einem unauslotbaren Meer aus diesem Plastik-Äther, der die ECK-Kraft genannt wird; und diese Substanz ist dauernd lebendig und aktiv. Sie ist im höchsten Grade feinfühlig. Die Gedankenform bezieht Gestalt oder Matrix von dem, was die Substanz ausdrückt.

Dialoge mit dem Meister, **Kap. 20**

Der andere Aspekt des Heiligen Geistes, noch wichtiger als das Licht, ist der, den wir als den Ton kennen.

Dieser Tonstrom ist eigentlich die Stimme Gottes, von der in der Bibel als dem Wort gesprochen wird: »Im Anfang war das Wort . . . Und das Wort wurde Fleisch und wohnte unter uns.« Diese Stimme, der schöpferische Strom, der von Gott kommt, hat die niederen Welten erschaffen. Er breitet sich aus wie eine Radiowelle von einer zentralen Sendestation. Es ist wie mit einem Stein, der in einen ruhigen See geworfen wird, und von dem kleine Wellen ausgehen. Diese Wellen laufen hinaus, aber sie müssen immer wieder ins Zentrum zurückkehren; wir sind an der rücklaufenden Welle interessiert. Das ist es, wonach die Seele sucht: in den Mittelpunkt Gottes zurückzukehren. Wenn Sie zum Mittelpunkt Gottes zurückkehrt, dann nennen wir das Gottrealisation oder Gottbewußtsein.

Wie man Gott findet, **S.** 175

Jemand schrieb mir von einem Bauernhof in Afrika. Er schrieb, eine Henne hätte einige Eier gelegt, die von einem komisch aussehenden Hahn befruchtet waren, dessen Hals und Kopf kahl waren. Immer wenn der Hahn in den Hof kam, lachte die ganze Familie über ihn.

Es war alles ganz lustig, bis die Eier ausgebrütet waren. Eines von den Küken schlüpfte aus und sah genauso aus wie der Hahn — kahler Kopf, kahler Hals. Weil das kleine Ding so häßlich war, hackten die anderen Küken auf ihm herum und brachen ihm schließlich das Bein. Um es zu schützen, mußte die Familie es ins Haus bringen.

Der Briefschreiber sagte: »Weißt Du, es ist interessant, wie wir über diesen Hahn lachten, der kahl an Kopf und Nacken war, und jetzt merkten wir plötzlich, daß jemand ganz genau wie er in unser Haus einzog!«

Gedanken aller Art werden auf den Urheber zurück-

4

fallen. Man nennt dies das Gesetz des Karma oder das Gesetz von Ursache und Wirkung. Die ECKisten sind damit recht gut vertraut.

Wie man Gott findet, S. 340

Bewußtsein

Bewußtsein, Gesetz des: Das gedankliche Erkennen oder die Verwirklichung der Existenz seiner Selbst oder von Dingen, welches das äußere Leben und die Form manifestiert.

Übersetzt aus *ECKANKAR Dictionary*, S. 84

Alles im Universum [hat] seinen Ursprung in der Idee, im Gedanken, . . . und [erfährt] seine Erfüllung in der Manifestation des Gedankens durch die Form . . . Viele Zwischenstadien sind notwendig, aber die Ursache und Wirkung der Aufeinanderfolge sind der Gedanke und die Sache. Dies zeigt, daß im wesentlichen die Sache bereits im Gedanken existierte . . . Es ist das Bewußtsein. Wenn es eine wahre Tatsache ist, daß die Dinge zuerst in Gedanken vorhanden sein müssen, bevor die Gedanken die Dinge formen können, dann ist es klar, daß das Göttliche Ideal in unserem äußeren Leben nur in dem Verhältnis verkörpert werden kann, in dem es zuerst in unseren Gedanken geformt wurde. Es nimmt nur in dem Ausmaß Form von unseren Gedanken an, in dem wir seine Existenz im Göttlichen ECK erfaßt haben . . .

Die Seele ist der Denker der Gedanken. Das Bewußtsein antwortet, wenn es von der Seele gelenkt wird, die jenseits aller Gedanken, aller Materie und jenseits von Energie, Raum und Zeit ist. Der eigentliche Akt des Denkens erfordert Selbstbewußtsein, weil alle Gedanken nur durch Selbstbewußtsein möglich

7

sind. Deshalb kann das, was ich bin, das was über und
jenseits von allen Gedanken steht, nicht durch das
Bewußtsein und nicht durch den Intellekt offenbart
werden. Auch wenn das Bewußtsein nicht fähig ist,
darüber zu denken, ist es der Seele, die ich bin, möglich, die gesamte Sache in einer vollständigen Weise
zu kennen ...

Im kreativen Prozeß der Seele werden wir zur individuellen Widerspiegelung dessen, was wir als die Göttliche Kraft erkennen, im Verhältnis zum eigenen Selbst.
Wenn wir das Göttliche als das unendliche Potential
all dessen erkennen, das ein vollkommenes menschli-
ches Wesen zu bilden vermag, so muß diese Vorstellung, gemäß dem Gesetz der Kreativität, allmählich
ein entsprechendes Bild in unseren Gedanken entstehen lassen, welches dann wieder auf unsere äußeren
Umstände einwirkt. Aufgrund des Gesetzes des Bewußtseins ist dies die Wirkungsweise des Vorgangs.

Die Flöte Gottes, **Kap. 9**

Wir alle wählen unseren eigenen Bewußtseinszustand.
Es dauert bei vielen Menschen, sogar bei vielen ECK-
Initiierten, eine Weile, bis sie das erkennen. Wir schaffen uns unsere eigene Welt. Was wir heute sind, ist die
gesamte Summe dessen, was wir durch alle Zeitalter
hindurch gedacht haben und gewesen sind.

Wie man Gott findet, **S. 9**

Alle Wege zu Gott werden vom Heiligen Geist zu dem
ausdrücklichen Zweck angeboten, der Seele in Ihren
unterschiedlichen Bewußtseinszuständen eine Auswahl
zu geben, wie Sie zu Gott zurückkehren will. Jeder
Weg führt auf einen anderen Weg und dann wieder
auf einen anderen. Es ist eine Sache, in einen bestimmten Bewußtseinszustand hineingeboren zu wer-

den, aber wir sind es uns selbst schuldig, die Anstrengung zu unternehmen, höher und darüber hinaus zu greifen. Bei der Geburt wird uns alles Bewußtsein gegeben, das wir brauchen, um von der Geburt bis zum Tod zu kommen. Diese Art des Bewußtseins ermöglicht es uns, zur Schule zu gehen, ein Handwerk oder einen Beruf zu erlernen und unseren Weg zu machen. Aber es bedarf eines besonderen Einsatzes, darüber hinauszugehen und höhere Bewußtseinszustände zu erlangen. Wir können dies durch direkte Erfahrung mit dem Licht und dem Ton Gottes erreichen.

Wie man Gott findet, S. 137

Jedesmal, wenn Sie in einen anderen Bewußtseinszustand fortschreiten, können sich Ihre Ernährungsgesetze ändern. Dann fangen Sie an, mit Ernährung und Vitaminen herumzuspielen. Wenn Sie schließlich nicht mehr weiterwissen, kann es sein, daß Sie zu einem Ernährungsfachmann gehen. Warum? Weil Sie durch verschiedene Bewußtseinszustände hindurchgehen und Ihr Körper dem Gesetz gehorcht. Wie oben, so unten. Wenn Sie in Ihrem Bewußtseinszustand wachsen oder wenn Sie sich einer weiteren Initiation nähern, ändern sich die Dinge, und Sie fragen sich, was da geschieht. Es ändert sich einfach Ihr Bewußtseinszustand. Auch Ihr Wort, Ihr geheimes Wort, wird vielleicht nicht mehr funktionieren, und Sie müssen darum bitten, ein neues zu finden.

Wie man Gott findet, S. 256

Gott

Gott, Gesetz von: Alles hat seinen Ursprung im Göttlichen Geist; Göttliche Wahrheit ist eins und unveränderlich.

Übersetzt aus ECKANKAR Dictionary, S. 57

Die Odyssee der Seele lehrt uns, mit den Gesetzen Gottes zusammenzuarbeiten. Es sind viele Leben voll von Beulen und blauen Flecken notwendig, bevor alle Lektionen des Göttlichen uns durchdringen. Und wenn sie dies tun, dann wird uns die Gnade gewährt, bewußt an den höchsten Aspekten der Heiligkeit teilzuhaben.

Übersetzt aus The Living Word, S. 199

Das Gesetz Gottes sagt aus: »Die Seele existiert, weil Gott es will.« Folglich liebt Gott alles Leben so sehr, daß ES der Seele erlaubt, zu existieren. Wenn ES das Leben nicht liebte, gäbe es keine Lebensformen in diesem Universum und alles wäre öde. Zeit, Raum, Gesetz, Wahrscheinlichkeit, Materie, primitive Energie und Intelligenz sind nur Auswirkungen der Liebe Gottes für Leben und bestehen nur, um der Seele auf Ihrer Reise zu dienen, um Befreiung und Freiheit zu finden.

Die Seele ist nicht die Ursache für das Gesetz, welches Glück oder Elend bringt. Wenn Sie nicht frei ist, handeln Sie auch nicht als die erste Ursache, die das Gegenteil herbeiführt. Als das freie Selbst hat Sie die Gelegenheit, Sich als den Urantrieb zu etablieren, um Glück herbeizuführen und das Leben das sein zu lassen, was es sein sollte. Sie bringt das Leben nicht ins Bestehen, sondern existiert, weil das Leben selbst die Seele als Hauptanlaß der Liebe Gottes für jede individuelle Seele im Universum erhält.

Shariyat-Ki-Sugmad, **Buch Eins, Kap. 8**

Es gab eine Zeit, bevor diese niederen Welten erschaffen wurden, da lebte die Seele in den Himmeln. Es ist schwierig, sich im Himmel so etwas wie eine selbstsüchtige, nicht wachsende Seele vorzustellen; aber es ist interessant, daß Sie niemand und nichts dienen wollte, außer Sich Selbst. Und deshalb sandte Gott die Seele in die niederen Welten hinab, die speziell für Ihre Erfahrung geschaffen worden waren. Die Mühen und Schwierigkeiten, sogar das Glück und die Freude — das volle Spektrum der Erfahrungen, die wir durch die fünf Sinne und jenseits davon kennen — sind da für die Entfaltung der Seele, damit Sie eines Tages ein Mitarbeiter Gottes werden kann. Das ist der einzige Sinn des Ganzen.

Wie man Gott findet, **S. 251**

Spirituelle Klarheit und Erleuchtung stellen sich ein, wenn wir mit diesem Licht und Ton Gottes in Verbindung stehen. Der ECKist sieht das wirkliche Licht Gottes, das während der Kontemplation erscheint. Es gibt spirituelle Anhebung und nimmt das Karma, das während unserer vergangenen Leben erzeugt wurde, sowie das tägliche Karma aus diesem Leben weg.

Wir können ohne das Licht auskommen, aber nicht ohne den Ton. Es ist ein wirklicher Ton, den wir hören können. Es kann der Klang eines Orchesters sein; es kann der einer Flöte sein...

Das ist die einzige Art und Weise, wie Gott zu uns sprechen kann, entweder durch das Licht oder den Ton. Immer wenn wir eine Erfahrung im Inneren haben und eine dröhnende Stimme hören, dann kann das ein Meister sein, sichtbar oder unsichtbar, ein anderes Wesen oder ein Engel Gottes — aber es ist nicht Gott. Wir suchen die wahre Stimme. Sie gibt Weisheit und die Wahrheit, die über alles Verstehen hinausgeht.

Wenn wir beginnen, dieses Licht und diesen Ton in unserem Leben zu haben, dann zeigt sich das in der Art und Weise, wie wir unsere täglichen Angelegenheiten regeln. Unser tägliches Leben ist eine Spiegelung dessen, was im Inneren geschieht. Wir können spirituell erfolgreich sein, aber das heißt nicht unbedingt, daß wir reich werden. Wenn wir ein Ziel für ein Projekt setzen, dann sollten wir aus der Erfahrung einen Begriff von den spirituellen Prinzipien gewinnen. Diese helfen uns in dem Sinne erfolgreich zu sein, daß diese Erfahrungen uns zum nächsten Schritt im Leben führen. Was wir Erfolg nennen, mögen andere Menschen als Versagen ansehen, weil wir einen anderen Blickpunkt haben. Und weil wir diesen Blickpunkt haben, haben wir ein Glück und eine Heiterkeit, die viele andere Menschen liebend gerne erfahren würden, die sie aber nie gefunden haben.

Wie man Gott findet, S. 272

»Gott SELBST verfolgt einen geradlinigen Kurs und kümmert sich in gewissem Sinne nicht um das Individuum, und doch liegt IHM das Wohlergehen des einzelnen sehr am Herzen. Alle Dinge, vom Himmel bis zur Erde, unterstehen SEINER Fürsorge, und ES vernimmt das zarte Zirpen der Grille, obwohl ES taub gegenüber unseren lautesten Gebeten zu sein scheint. Daher sind wir als die ECK-Gurus eingesetzt, um

für alle zu sorgen, die uns um Hilfe bitten. 'Seht, die
Ihr müde und beladen seid, kommt zu mir und ich will
Euch Eure Bürde abnehmen.' Erinnern Sie sich? Das
ist unsere Verantwortung im Leben.

Der Lebende ECK-Meister, der Gottmensch, der
jetzt in diesem physischen Universum lebt, sorgt für
alles Leben. Vertraue ihm.«

Übersetzt aus *The Key to ECKANKAR*, S. 15

»Eines der am häufigsten Mißverständnisse liegt in der
Annahme, das Gesetz Gottes arbeite nur für jene, die
ein frommes oder religiöses Ziel besitzen. Das ist ein
Irrtum. Es arbeitet genauso unpersönlich wie irgendein physikalisches Gesetz. Es kann gleichermaßen für
habsüchtige oder eigensüchtige wie für edle Zwecke
benutzt werden.«

Übersetzt aus *The Key to ECKANKAR*, S. 16

»Das höchste Prinzip Gottes ist das Überleben des
Individuums, das ist die Seele. Das dynamische Prinzip der Existenz ist Überleben.«

Übersetzt aus *The Key to ECKANKAR*, S. 27

»Nehmen wir hier und jetzt zur Kenntnis, daß der
Seele niemals alles Wissen und alle Weisheit gegeben
wird. Denn die Welt Gottes ist ohne Anfang und ohne
Ende, unendlich in allen Attributen und Eigenschaften und ständig sich erweiternd zu größerer Wahrheit
und größerer Weisheit.«

Übersetzt aus *The Key to ECKANKAR*, S. 29

Gnade

Gnade, Gesetz der: Im Einklang zu sein mit der Art und Weise des SUGMAD, durch Arbeiten auf dem Gebiet der Ungebundenheit jeden zum göttlichen Kanal zu machen, hauptsächlich durch Disziplinierung der Emotionen.

Übersetzt aus *ECKANKAR Dictionary*, S. 58

Wir gehen unsere Schritte auf dem spirituellen Weg; wir erklimmen die Leiter zu Gott. Jesus sagte:»Kommt zu mir, und Ihr werdet erhöht werden.« Was er zu erklären versuchte, war einfach dies: Die Gnade Gottes steigt nicht zu uns herab. Das ist etwas, was die Religionen oft nicht verstehen. Sie haben das Gefühl, die Gnade Gottes kommt zu uns, nur weil wir darum bitten. In gewisser Weise ist das so, aber zuerst müssen wir sie uns verdienen. Wir müssen mindestens einige Anstrengung unternehmen, bevor die Gnade Gottes zu uns kommt; aber wenn sie kommt, werden wir zu ihr emporgehoben.

***Wie man Gott findet*, S. 9**

Sie müssen die Disziplin auf sich nehmen, um Ihren Bewußtseinszustand in einen Bereich anzuheben, wo diese Lehrer sind und Ihnen helfen können. In gewissem Sinne werden wir zu dem Glauben verleitet, daß die Gnade Gottes zu uns herabsteigt, aber in Wirklichkeit ist es so, wie Jesus sagte, als er seinen Anhängern mitteilte, sie sollten zu ihm kommen, und er würde sie anheben.

Wie man Gott findet, S. 57

»Jeder, der von einem hinreichenden Verlangen nach Gottrealisation erfüllt ist, kann diese Realisation erreichen - die Gnade Gottes garantiert das.«

Übersetzt aus *The Key to ECKANKAR,* S. 41

HU

HU, Gesetz des: Der Geist Gottes ist die alles durchdringende Kraft, die formende Kraft der Universen des HU, die Stimme des HU.

Übersetzt aus *ECKANKAR Dictionary*, S. 65

Der Weg von ECK ist dazu da, den einzelnen zu einem Leben zu führen, das spirituell anhebend und niemals in irgendeiner Weise erniedrigend oder verdorben ist. Er soll aufbauen. Wenn Sie etwas im Inneren erhalten — einen Hinweis, etwas zu tun — wenn es positiv und harmonisch ist, tun Sie es! Wenn es Sie aus der Fassung bringt, oder wenn es von Ihnen verlangt, daß Sie Macht über eine andere Person ausüben — mit anderen Worten, wenn der Befehl, den Sie bekommen, bedeutet, daß jemand anders die Freiheit verliert, so zu handeln, wie er möchte — dann tun Sie es nicht! Es ist die negative Kraft, und die kann sogar das Gesicht eines ECK-Meisters annehmen. Warum? Um unserer Erfahrung willen, damit wir lernen, wie wir uns ihr mit einem der heiligen Worte Gottes, zum Beispiel dem HU, entgegenstellen können. Sie können dies still chanten, und Sie werden Schutz genießen. Es öffnet Sie für diesen Schutz des Heiligen Geistes.

Dies ist eine der Funktionen des HU, und es ist ein sehr nützliches Werkzeug. Sie können es jederzeit anwenden. Wenn Sie irgendeine Hilfe brauchen — vielleicht klatscht jemand über Sie oder greift Sie an — dann richten Sie es nicht gegen diese Personen, sondern Sie chanten es einfach, um sich selbst spirituell anzuheben, damit Sie entweder Einsicht gewinnen oder sich selbst schützen oder was sonst gerade nötig ist.

Wie man Gott findet, S. 90

Viele der verschiedenen religiösen Lehren haben Initiationen. Der Freimaurerorden spricht von dem verlorenen Wort. Dieses verlorene Wort ist eigentlich der Ton des HU oder der Ton Gottes. Es ist einer der heiligen Namen Gottes, und es ist ein aufgeladenes Wort. Ein solches Wort — und das schließt unser persönliches Wort mit ein — hat von sich aus keine Macht. Das Wort, das uns bei der Initiation gegeben wird, wirkt wie ein Schlüssel, um den Schutz und die spirituelle Hilfe, die vom ECK oder dem Mahanta kommt, aufzuschließen. Wir chanten oder singen dieses Wort, still oder laut, wann immer wir diese Hilfe brauchen.

Wie man Gott findet, S. 102

HU, den geheimen Namen Gottes, . . . kann man still vor sich hin singen oder chanten, wenn man in Schwierigkeiten ist oder wenn man Trost braucht in Zeiten des Leids. Es gibt Stärke, es gibt Gesundheit, es öffnet einen als Kanal für die größeren Heilkräfte des Heiligen Geistes.

Wie man Gott findet, S. 351

Der Ton Gottes, der Hörbare Lebensstrom, ist das reinigende Element, welches die Seele anhebt, sodaß Sie eines Tages zu Gott, Ihrem Schöpfer, zurückkehren kann.

Wie man Gott findet, S. 352

18

Leben

Leben: Das Sein; die Erfahrung von Bewußtseinszuständen; Leben ist Göttlicher Geist und der Göttliche Geist ist gleichbleibend; der Ton; das ECK.

Übersetzt aus *ECKANKAR Dictionary*, S. 87

Jede neue Erfahrung, jede neue Situation des Lebens, erweitert die Anschauung des Chela und bewirkt eine subtile Umwandlung in seinem Inneren. Folglich erfährt das Wesen jedes Chela, der aufrichtig ist und es mit den Werken von ECK ernst meint, eine ständige Veränderung, denn nicht nur aufgrund der Lebensumstände, sondern durch das fortwährende Hinzukommen neuer Eindrücke wird die Struktur des Verstandes immer mannigfaltiger und komplexer. Ob es Fortschritt oder Degeneration genannt wird, hängt davon ab, wie man es betrachtet. Doch man muß eingestehen, daß dies das Gesetz des Lebens ist, in dem das Spirituelle und das Psychische sich in der Welt des Spirito-Materialistischen, in der die Seele Ihre Zeit bis zur Vervollkommnung dienen muß, gegenseitig koordiniert und ausgleicht.

Shariyat-Ki-Sugmad, Buch Zwei, S. 85

»Warum ich, lieber Gott?«, ist die uralte Frage, die wir Gott stellen. Dies ist eine Form des Gebets. Es verdeckt unsere Unwissenheit über die Gesetze des Lebens. Probleme im Leben treten auf, wenn wir die Gesetze

des ECK — die Gesetze des Heiligen Geistes — nicht
verstehen.

**Übersetzt aus *The Golden Heart*, Mahanta Transcripts,
Book 4, S. 2**

»Alles im Leben wird nicht durch äußere Umstände
und Dinge, sondern durch das Bewußtsein bestimmt.
So besitzt beispielsweise der Körper in und aus sich
selbst keinerlei Kraft, keine Intelligenz, und er ist für
seine Handlungen nicht verantwortlich. Eine Hand,
sich selbst überlassen, würde ewig da bleiben, wo sie
ist. Es muß etwas da sein, was sie bewegt. Dieses
Etwas nennen wir 'Ich' oder 'Spirit'. Dieses 'Ich' bestimmt, wozu diese Hand gebraucht wird. Die Hand
kann das in und aus sich selbst heraus nicht bestimmen. Denn die Hand existiert als eine Wirkung oder
als eine Form und reagiert auf die Führung. Als ein
Instrument oder Werkzeug gehorcht sie uns und wir
verleihen ihr jegliche Nützlichkeit.

Dieser Gedanke ist gleichermaßen auf andere Kör-
perteile anwendbar. Das Bewußtsein, das anfangs den
Körper formt, ist auch das Bewußtsein, das für ihn
sorgt und ihn erhält. Gott verlieh uns Herrschaft durch
das Bewußtsein, und dieses Bewußtsein, welches das
kreative Prinzip unseres Körpers ist, muß auch sein
bewahrendes und erhaltendes Prinzip sein.

Sobald Dir dieses Prinzip klar ist, hast Du das
Prinzip des Lebens schlechthin erfaßt. Dies ist buch-
stäblich das Gesetz des Lebens, die Substanz, die
Aktivität, die intelligente Steuerung des Lebens, die
aus dem Inneren des Menschen kommt.«

Übersetzt aus *The Key to ECKANKAR*, S. 19

Es ist das Gesetz allen Lebens, entweder fortzuschreiten oder sich [zu]rückzubilden.

Shariyat-Ki-Sugmad, **Buch Zwei, S. 157**

Mksha

Mksha, Gesetz des: Leben ist nur Göttlicher Geist, und da es Göttlicher Geist ist, hat es nichts. Es hat nur Intelligenz mit der besonderen Fähigkeit wahrzunehmen, zu durchdringen und zu überleben und Kausalität, Spezialisierung, Kreativität, Schönheit, Liebe und Ethik zu besitzen.

Übersetzt aus ECKANKAR Dictionary, S. 99

Es gibt grundlegende Gesetze, die dieses physische Universum durch Spirit regieren. Sie wurden einst von einem uralten ECK-Weisen namens Mksha gelehrt, der vor ungefähr 35.000 Jahren auf dieser Erde erschien, um die Bewohner des Indus-Tals zu lehren. Seine erste Lehre war:»Das Leben ist nur Spirit, und da es Spirit ist, hat es nichts.« Das Verständnis dessen zeigt klar auf, daß es nur Intelligenz mit der besonderen Fähigkeit besitzt, wahrzunehmen, zu durchdringen, zu überleben, Ursächlichkeit, Spezialisierung, Kreativität, Schönheit, Liebe und Ethik zu besitzen.

Spirit ist die alles durchdringende Kraft, die formende Kraft der Universen des HU. Es ist die unsterbliche, unveränderliche Quelle des Lebens, die nur die Form verändert, ungeachtet dessen, was die Welt auch sein mag. Es ist die verursachende Kraft, die der Mensch studierte, über die er schrieb und von der er nur die genauen Eigenschaften kennen, nie aber wirklich totales Wissen erlangen kann. Wir wissen, daß sein Modus Operandi merkwürdigerweise nach strengen Gesetzen funktioniert, so wie mathematische Formeln. Wissenschaftler und Studenten der heiligen Werke, alle wissen dies.

Die Flöte Gottes, **S. 107**

Das physische Universum

Die Gesetze des physischen Universums: Das
Buch der Gesetze; sieben fundamentale Gesetze
bestimmen das physische Universum durch den Spirit:
das Gesetz der Haltungen, das Gesetz der Faksimile,
das Gesetz des HU, das Gesetz der Polarität, das Gesetz
der Seele, das Gesetz der Einheit und das Gesetz der
Schwingungen.

Übersetzt aus *ECKANKAR Dictionary*, S. 87

»Man muß zu der Erkenntnis gelangen, daß die gesamte Schöpfung in den niederen Universen vollendet ist.
Kreativität ist nur eine tiefere Empfänglichkeit. Der
gesamte Inhalt aller Zeit und allen Raumes, der zwar
in einer Zeitfolge erfahren wird, besteht in Wirklichkeit gleichzeitig in einem unendlichen und ewigen *jetzt*.
Es ist wirklich so, daß alles, was die Menschheit jemals
war oder sein wird, in diesen niederen Welten *jetzt*
existiert! Das ist es, was mit der Aussage gemeint ist,
daß die Schöpfung vollendet ist. Nichts wird jemals
erschaffen, es wird lediglich manifestiert. Was als
Kreativität bezeichnet wird, ist nur ein Gewahrwerden
dessen, was bereits *ist*. Sie werden sich nur in zuneh-
mendem Maße der Teile dessen bewußt, was schon
existiert.«

Übersetzt aus *The Key to ECKANKAR*, S. 7

Seele

Seele, Gesetz der: Die Seele ist das manifestierte, individuelle Sein des ECK-Geistes. Sie hat freien Willen, Meinungen, Intelligenz, Imagination und Unsterblichkeit.

Übersetzt aus *ECKANKAR Dictionary*, S. 138

Die Seele ist das manifestierte individuelle Sein dieses ECK-[Geistes]. Die individuelle Seele wurde aus diesem Spirit geschaffen, mit der Fähigkeit, freien Willen zu haben, ihre eigene Wahl zu treffen, um in der Lage zu sein, Meinungen, Intelligenz, Imagination zu haben und zu postulieren und zu erschaffen.

Die Flöte Gottes, **Kap. 7**

Dies bedeutet, daß alle Seelen, die in den himmlischen Zustand eintreten, sich nach dem Gesetz richten müssen, das Sie für Sich selbst festlegen. Dieses selbstauferlegte Gesetz dient dazu, daß die individuelle Seele erkennt, daß Sie Ihr eigenes Gesetz ist. Zuallererst muß Sie lieben, oder allen Wesen in den himmlischen Welten guten Willen schenken. Als zweites muß Sie Ihr eigenes Gesetz aufstellen, nach dem Sie Sich zu richten hat, und dies muß in Einklang mit dem großen Gesetz »Liebe alle Dinge« stehen.

Shariyat-Ki-Sugmad, **Buch Zwei, Seite 110**

Wir erkennen, daß die Seele ewig ist; Sie hat keinen Anfang und kein Ende. Wenn jemand daher diesen physischen Körper verläßt, so existiert er weiter, meist auf einer höheren Ebene des Bewußtseins.

Wie man Gott findet, S. 56

Göttlicher Geist

Göttlicher Geist, Gesetz des: Göttlicher Geist in sich selbst ist das Prinzip des Zunehmens; zukünftige Bedingungen erwachsen aus den jetzigen Bedingungen; es gibt immer noch etwas in der Zukunft, eine weitere Erfahrung zu machen.

Übersetzt aus *ECKANKAR Dictionary*, S. 139

Selbstmeisterschaft bedeutet einfach, daß jemand die Fähigkeit hat, sein eigenes Leben gemäß den Gesetzen des Göttlichen Geistes zu gestalten. Dies setzt zuallererst voraus, daß man die Gesetze dieses Geistes kennt. Das Verständnis dieser Gesetze kommt durch das Licht und den Ton Gottes. Es ist ein direktes Einfließen des Shariyat-Ki-Sugmad in die Seele.

Übersetzt aus *The Golden Heart*, Mahanta Transcripts, Book 4, S. 74

Spirit ist die alles durchdringende Kraft, die formende Kraft der Universen des HU. Es ist die unsterbliche, unveränderliche Quelle des Lebens, die nur die Form verändert, ungeachtet dessen, was die Welt auch sein mag...

Dieser Spirit, die Stimme des HU — HU wird oft das SUGMAD genannt — der wahre Name Gottes in den oberen Bereichen, hat eine große Eigenschaft, nämlich Wirkung zu schaffen. Wenn er durch die Welten von seinem Urquell im Zentrum aller Schöpfung, weit jenseits dieser Erdenwelt, herabfließt, braucht er Verteiler und arbeitet durch die Seelen.

Die Flöte Gottes, **Kap. 7**

Unser Name für den Geist Gottes ist einfach ECK. Dieses ECK ist das, was die Bibel als den Heiligen Geist, den Tröster, bezeichnet. Es ist die gleiche Manifestation, die den Aposteln an Pfingsten erschien. Sie hörten einen Ton wie das Rauschen des Windes. Das ist einer der Klänge des Heiligen Geistes. Es gibt noch viele andere, wie den Klang der Flöte.

Wie man Gott findet, **S. 46**

Ton und Licht sind die Zwillingsaspekte des Heiligen Geistes. Es ist die Stimme Gottes. Es gibt eigentlich drei Dinge, für die wir uns interessieren, wenn wir den spirituellen Weg beschreiten. Das erste ist der Gedanke. Wir benutzen unseren Verstand und die Techniken der bildlichen Vorstellung, wenn wir mit den Spirituellen Übungen von ECK arbeiten. Mit Hilfe der Spirituellen Übungen von ECK versuchen wir, bewußt mit diesem Licht und Ton Gottes Verbindung aufzunehmen. Die Stimme Gottes zu erfahren, ist ein lohnendes Ziel: Es bedeutet, daß wir Verbindung zur Gottheit haben.

Wie man Gott findet, **S. 83**

Das bedeutet nur, daß Gott SELBST Sein an sich ist, und der Göttliche Geist ist SEINE Ausdehnung in alle Universen hinein, und Du, als das Instrument, bist der zu Fleisch gewordene Geist Gottes.

Übersetzt aus **The Key to ECKANKAR,** *S. 8*

In ECK wird der Einzelne in den Gesetzen des Göttlichen Geistes unterwiesen. Die Art und Weise, wie er dieses Wissen anwendet, bestimmt, wie schnell er in den freudigen Zustand der Gott-Erleuchtung eintritt, welcher erreicht werden kann, während er sich noch im menschlichen Körper befindet.

Übersetzt aus **The Living Word,** *S. 36*

Spirituelle Unvollkommenheit

»Das Gesetz der spirituellen Unvollkommenheit lautet, daß niemand je ein vollkommenes Wesen wird.« Es gibt immer noch einen weiteren Schritt in Gottes Plan der bewußten Evolution. Dies trifft um so mehr auf spirituelle Dinge zu, die immer nach Vollendung streben, aber sie niemals finden.

Kind in der Wildnis, **S. 290**

Drei Grundprinzipien
von ECKANKAR

Zu diesem Zeitpunkt beginnt er die Weisheit der Grund-
prinzipien von ECK zu erkennen. Erstens, die Seele ist
ewig. Sie hat weder Anfang noch Ende. Zweitens, wer
immer den hohen Weg von ECK begeht, weilt immer
in den spirituellen Ebenen. Drittens, die Seele lebt
immer in der Gegenwart. Sie hat weder Vergangenheit
noch Zukunft, sondern lebt immer im gegenwärtigen
Augenblick.

Shariyat-Ki-Sugmad, **Buch Zwei, S. 192**

Aus diesen Prinzipien entspringen die Doktrin und die
Philosophie von ECK. Mehr ist nicht zu sagen und
nicht weniger.

Durch die Realisation dieser drei Prinzipien erlangt der Chela eine Transparenz für den göttlichen
Impuls. Er gelangt zu einer größeren Bewußtheit bezüglich des göttlichen Plans in dieser Welt und seines
Teils darin. Er ruht nun in den Armen des Mahanta,
des Inneren ECK-Meisters, und verläßt sich darauf,
daß er ihm diese göttliche Führung zuteil werden läßt.

Während er in seiner spirituellen Realisation höher
steigt, macht er die große Entdeckung des Lebens. Das
majestätische Gesetz Gottes, auf dem die drei Prinzipien von ECK beruhen, lautet: »Die Seele existiert,
weil das SUGMAD es will.«

Shariyat-Ki-Sugmad, **Buch Eins, Kap. 8**

Gesetze
der Freiheit

Die praktischen Gesetze, die den Weg
durch das tägliche Leben ebnen.

Haltungen

Haltungen, Gesetz der: Das fünfte Gesetz des physischen Universums, oder das Gesetz des Seinszustandes; die Kraft der Imagination beherrscht die Handlungen in diesem Universum mehr als der Wille.

Übersetzt aus *ECKANKAR Dictionary,* S. 13

Das fünfte Gesetz des physischen Universums ist das Gesetz der Haltungen oder der Seinszustände. Offen gesagt ist alles, was mit den Gesetzen dieses Abschnitts arbeitet, in der Lage, Wunder zu wirken. Nicht der Wille, sondern die Kraft der Imagination herrscht über unsere Handlungen in diesem Universum.

Die Flöte Gottes, Kap. 7

Lai Tsi sagt: »Ich lernte zurückzustehen und das Göttliche durch mich arbeiten lassen. « Wir stellen fest, daß dies der leichte Weg ist, es zu tun . . .

Ich stellte fest, daß ich mit dieser Kraft in Verbindung trat, wenn ich eine bestimmte Haltung einnahm. Es war eine Haltung neugieriger, kindlicher Hingabe an den großen Spirit . . . So viele Menschen wollen diesen kindlichen Zustand, jedoch ruft der Druck ihrer physischen Bedürfnisse Spannungen und Angst hervor und schließt folglich den Kanal zwischen ihnen und dem Spirit. Sorge und Angst sind angespannte Emotionen, die den Menschen starr in der emotionalen Bewußtseinsebene festhalten, damit er die spirituelle Ebene nicht erreichen kann, wo alle Dinge wahr werden.

Wettbewerb steigert die Haltung der Spannung; Spannung entsteht aus Angst, Angst erwächst aus übermäßiger Eigenliebe, übermäßige Eigenliebe schneidet einen Kontakt mit dem ECK ab; folglich werden die Eigenschaften, die zu Zufriedenheit, Glück und Wachstum führen, nicht erreicht... Jeder, der sein eigenes Selbst als Seele erkennt, entspannt sich sofort, denn er kann wahrhaftig sagen: »Ich und der Vater sind eins.« In diesem entspannten Zustand sind alle inneren Kanäle geöffnet.

Die Flöte Gottes, **Kap. 7**

Das Gesetz der Haltungen lautet kurz gesagt folgendermaßen: Es ist das richtige Gefühl und Bild, das Sie beständig in Ihrem Verstand tragen. Wenn Sie sich entschließen, mit einer Kamera ein Bild zu machen, sagen wir von einem Baum, und es tun, so sehen Sie den abgebildeten Baum im Sucher. Nach einigen Tagen erhalten Sie die Bilder vom Fotogeschäft zurück und sind nicht überrascht, daß dies wirklich ein Bild von einem Baum ist, den Sie fotografierten.

Dies ist ganz einfach die gleiche Art, wie das Leben funktoniert. Wenn wir denken, wenn wir uns in unserem Verstand etwas vorstellen, so betrachten wir Bilder im Sucher des Verstandes. Die Gedankenschwingungen in uns werden sich mit den belichteten Filmen befassen, die wir gemacht haben, und sogleich kommt das fertige Bild in unserem Leben zum Vorschein. Genauso einfach ist es.

Die Flöte Gottes, **Kap. 7**

Jeder gegenwärtige Gedanke verfestigt sich zu einem zukünftigen Umstand.

Dialoge mit dem Meister, **Kap. 8**

Denke daran, daß die subtilen Kräfte im Inneren des Menschen die gleichen sind, das Wichtige aber die Art und Weise ist, wie wir sie zu Hilfe rufen. Wenn wir in negativen Begriffen zu ihnen sprechen, werden sie in derselben Weise antworten. Wir legen uns selbst Beschränkungen auf, um der Kraft die Gelegenheit zu geben, durch die unterbewußte Psyche zu arbeiten.

Dialoge mit dem Meister, **Kap. 10**

Das ist die Haltung, die wir im Leben auf dem Weg zu Gott annehmen. Wir sagen nicht: »Ich habe Angst, ins Leben hinauszugehen, weil ich als unwissend hingestellt werde.« Wir gehen kühn und mutig los. Wir lernen etwas. Wir sind bereit, uns zum Narren zu machen, nur um dabei Erfahrungen zu machen oder zu lernen.

Wie man Gott findet, **S. 21**

In ECK verstehen wir, daß der Verstand in Rillen läuft. Wir nehmen als Kinder Gewohnheiten an, die uns in die Teenager-Jahre begleiten, und während wir älter werden, verhärten und verfestigen sie sich. Ärger und andere Haltungen des Verstandes stammen von diesen Gewohnheiten. Das Einzige, was größer ist als der Verstand, ist die Seele. Sie steht über der Macht des Verstandes und ist das Einzige, was den Verstand aus seinen Rillen stoßen kann.

Wie man Gott findet, **S. 29**

Wir wissen, daß wir unsere Zukunft gestalten können. Das ist der Grund, warum ich nicht so besonders daran interessiert bin, die Zukunft zu lesen. Ich habe es früher einmal getan; normalerweise tue ich es nicht mehr, weil die Zukunft ungeformt ist. Sie können daraus machen, was Sie wollen, aber zuerst müssen Sie fähig sein, sich das, was Sie wollen, sehr klar bildhaft vorzustellen. Leider suchen die meisten Menschen materialistische Ziele wie Geld, Gesundheit, Wohlstand und Partnerschaft. Aber ich muß wieder einmal dies erwähnen: Wie Jesus sagte: »Sucht zuerst das Reich Gottes . . . und alle diese Dinge werden auch gegeben werden.« Sorgen Sie dafür, daß Ihr Ziel die Mühe wert ist.

Um diese schöpferische Vorstellungskraft zu entwickeln, arbeiten Sie mit den Spirituellen Übungen von ECK! Experimentieren Sie ganz frei mit diesen Techniken. Wonach Sie suchen, ist, Erfahrung mit dem Ton und dem Licht zu gewinnen, wobei Sie Abenteuer in den anderen Welten erleben werden.

Wie man Gott findet, **S. 60**

Mit seiner Routine und seinen Gewohnheiten will der Verstand das, was er bisher getan hat, nicht ändern. Er möchte weiter lesen und seinen Spaß haben. Aber der Heilige Geist geht weiter, und der Verstand, die Emotionen und alles andere folgen nach. Wenn wir nicht willens sind, uns diesen unvorhergesehenen Veränderungen zu stellen, . . . dann haben wir es schwer in unseren Initiationen.

Der Schritt von einer Initiationsstufe zur nächsten sollte ein sehr leichter und glatter Übergang sein. Wir müssen bereit sein, alte Haltungen aufzugeben und für den Heiligen Geist sehr offen zu bleiben, wenn Er versucht, uns zu höherer Bewußtheit zu führen. Wenn Sie sich einmal für den Heiligen Geist geöffnet haben, wird der Innere Meister kommen — soweit Sie es ihm erlauben — und Sie zu größerer Sicht führen. Wenn die Seele Ihre Erlaubnis gegeben hat, aber die niederen Körper das nicht wissen, dann werden Sie sagen, Sie hätten eine Menge Probleme.

Jetzt ist es Zeit, daß Sie anfangen, von sich selbst etwas zu geben. Es muß nicht unbedingt innerhalb des ECK-Programms sein, aber Sie müssen in irgendeiner Weise anfangen, an das Leben zurückzugeben. Tun Sie dies entsprechend Ihren Talenten und Interessen. Manche Menschen halten gerne Vorträge, andere nicht; sie sind starr vor Angst. Wenn das der Fall ist, halten Sie keine Vorträge! Manche arbeiten gerne mit Kindern, während andere — vielleicht die, die selbst Eltern sind — sagen mögen: »Ich habe mein Teil getan; jetzt soll einmal jemand anders drankommen.«

Wie man Gott findet, S. 79

»Es ist die Vorstellung des ICH BIN von Sich Selbst, die Form und Szenerie Seiner Existenz bestimmt. Alles hängt von Seiner Einstellung Sich Selbst gegenüber ab. Das, was Es nicht als wahr für Sich Selbst bestätigt, kann in Seiner Welt nicht zur Wirkung kommen.«

Übersetzt aus *The Key to ECKANKAR,* **S. 6**

»Ein Verstand ohne festen Plan . . . kann sich in jeder beliebigen Situation ändern — das ist ein Faktor, der nicht sehr bekannt ist. Doch je höher die Seele auf dem spirituellen Pfad reist, umso geringer wird Ihre Last und umso leichter fällt es Ihr, rasch von einem Kurs zum anderen überzuwechseln. Ein Verstand, der sich in ungeplanter Weise bewegt, arbeitet auf dem Felde der Wahlfreiheit.«

Übersetzt aus *The Key to ECKANKAR,* **S. 9**

»Es geht nicht darum, Gott wohlgefällig zu sein, sondern SEINE Gegenwart zu manifestieren.

Viele, die Gutes tun, haben nur eine schwache oder überhaupt keine Vorstellung davon, was das Gute wirklich ist. Viele sind damit einverstanden, daß Gott in ihr Leben eingreift, sie sind aber nicht bereit, selber das zu tun, was für sie nötig ist. Wenn jemand jedoch sein Leben überprüft, dann wird er zu der Erkenntnis gelangen, daß es stets seine Überzeugungen, seine Betrachtungsweisen und die von ihm gesetzten Bedingungen sind, die darüber bestimmen, was er im Leben erfährt.

Damit kommen wir zum wichtigsten Teil der Botschaft des Lebens: Nicht das, was wir tun, bestimmt unsere Erfahrungen im Leben, sondern das, was wir erwarten! Selbst wenn Sie alles richtig gemacht haben und Sie dennoch das ungute Gefühl verfolgt, daß etwas schiefgehen wird, dann wird es schiefgehen. Ist das so, weil Sie schlecht, sündig oder böse sind? Keineswegs. Sondern weil Sie davon überzeugt sind.«

Übersetzt aus *The Key to ECKANKAR*, S. 14

»Was auch immer im Bewußtsein ist, muß sich nach außen hin kundtun . . .

Das kann unter Zwang geschehen oder aus freiem Willen. Die Abneigungen, die jemand anderen gegenüber oder gegen bestimmte Ausschnitte des Lebens hegt, werden mit der Zeit zutagetreten. So ist es zum Beispiel zweifelhaft, ob ein Mensch, der viele verborgene Einstellungen gegen die Beziehung zwischen Männern und Frauen hat, überhaupt noch in der Lage ist, seinen Mitmenschen frei entgegenzutreten. Das ist die Art von Menschen, die zu viel Zeit allein verbringen.

Tun Sie nicht zuviel gemeinsam mit solchen Menschen, etwa indem Sie ihren Zorn hervorrufen, denn dadurch werden mit Sicherheit ihre Auslösemechanismen betätigt und sie bewegen sich rasch die abwärtsführende Spirale hinunter. Manchmal werden sie zu Selbstmördern. Das Karma, das aus einer gegen einen anderen gerichteten Handlung entsteht, hält die Betreffenden in einem dauernden Streit, den sie hauptsächlich mit sich selber führen. Oft glauben sie, es sei jemand anderer, mit dem sie sich streiten, während sie es doch selber sind.«

Übersetzt aus *The Key to ECKANKAR*, S. 19

Gleichgewicht

Gleichgewicht, Gesetz des: Die Unveränderlichkeit, die in der Gottesquelle liegt: Alles ist völlig ausgeglichen in dem universellen Körper Gottes. Das Prinzip der Einheit, des Einsseins, aber in den niederen Welten wird diese Einheit simuliert durch den Wechsel zwischen Paaren von Gegensätzen.

Übersetzt aus ECKANKAR Dictionary, S. 15

Diese Blindheit gegenüber Ursache und Wirkung ist auch heute noch immer des Menschen unbarmherziges Problem. Das menschliche Bewußtsein weigert sich zu akzeptieren, daß alle Handlungen Konsequenzen haben. Der Lebende ECK-Meister demonstriert das Gesetz des Gleichgewichts anhand von aktuellen Gewohnheiten in unserer Zeit.

Übersetzt aus The Living Word, S. 164

Wenn wir das Leben von ECK leben, möchten wir gerne wissen, wie Es in unserem Alltagsleben wirkt. Ein Berufsmusiker kam kürzlich zu mir und sagte, bei ihm habe sich ein Nervenzittern eingestellt. Es ging soviel von dem kreativen Fluß durch ihn hindurch, daß er nicht in der Lage war, sich die Zeit zu nehmen, um das mit irgendeiner Art von körperlicher Beschäftigung auszugleichen. Er ging früher viel spazieren; er konnte einige Zeit draußen an der frischen Luft verbringen. Aber heute ist er so beschäftigt mit seiner

47

Musik, daß er es nicht fertigbringt, irgendeine physische Aktivität in seinen Tagesablauf einzubringen.

Ein anderer Musiker erzählte, er habe sich einer Basketballmannschaft angeschlossen. Der Musiker konnte so seine Bewegung bekommen. Es ist wichtig, in unserem physischen Leben das Gleichgewicht zu halten. Wenn das ECK in uns hineinfließt, möchten wir allzu häufig unsere gesamte Aufmerksamkeit auf die ECK-Bücher und die kontemplativen Übungen legen, und wir vergessen, daß wir auch von Tag zu Tag leben müssen.

Wie man Gott findet, S. 31

Das Leben geht auf und ab. Es gibt Zeiten, wo alles so geht, wie wir es wollen, aber es gibt auch Zeiten, wo wir ganz unten sind. Wenn wir uns selbst für den Heiligen Geist offen halten, wird es ein Gleichgewicht geben. Das ist es, was mit dem losgelösten Zustand gemeint ist: Wenn unser Schicksal am tiefsten Punkt ist, ergeben wir uns dem Heiligen Geist. Dann können wir in natürlicherer Weise wieder aufwärtsgehen, und wir werden diesen Lebensrhythmus beibehalten. Während das Leben um uns weitergeht, ist der losgelöste Zustand der, welcher gerade durch die Mitte geht; wir sind die ausgeglichenen Menschen, die im Seelen-Bewußtsein arbeiten.

Wie man Gott findet, S. 36

Wir tun, was wir können, aber wir fühlen uns nicht schuldig und lassen uns nicht aus dem Gleichgewicht bringen. Wir arbeiten mit anderen gleichgesinnten Menschen, um etwas zu erreichen; es ist nicht so, daß wir im Leben einfach unsere Hände in den Schoß legen und mit der ganzen Sache nichts zu tun haben wollen.

Wie man Gott findet, S. 62

Man kommt zur Seelenebene, indem man die positiven und negativen Teile in sich selbst ins Gleichgewicht bringt; sie kommen auf der Seelenebene in ein vollkommenes Gleichgewicht. Von diesem Augenblick an haben wir Selbstrealisation ... Es ist eine spirituelle Umwandlung, die hier geschieht — Sie werden tatsächlich ein neuer Mensch. Sie sind im Zustand der Selbsterkenntnis: Sie wissen, wer Sie sind, was Sie sind und was Ihre Aufgabe im Leben sein könnte.

Wie man Gott findet, S. 74

Jede Seele ist ein individuelles und einzigartiges Wesen. In den niederen Ebenen gibt es die zwei Teile unserer niederen Natur: den positiven und den negativen. Wenn wir zur Seelenebene kommen, stellen wir fest, daß diese zwei Teile eins werden. Das nennt man den Zustand der Selbsterkenntnis, von dem Sokrates sprach, als er sagte: »Mensch, erkenne dich selbst.« Bis dahin bedeutete sich selbst zu kennen nur, das Ego, das kleine Selbst, zu kennen und nicht unser wahres spirituelles Wesen. Unser Bewußtsein verändert sich, wenn wir die Seelenebene erreichen; jetzt ist unser Blick auf das Leben im Gleichgewicht.

Im Traumzustand bedeutet eine Hochzeit einfach, daß die Seele eine innere Initiation hat, bei der Ihre beiden Teile von Ihr ein wenig enger zusammengezogen werden. Wir suchen die Verbindung der Seele mit dem ECK, diesem Göttlichen Geist, der von Gott kommt. Jedesmal, wenn Sie auf den inneren Ebenen eine Hochzeit sehen, ganz gleich welche Person Sie als Ihren Partner erkennen, bedeutet es eine engere Verbindung mit dem Heiligen Geist und mit Gott.

Wie man Gott findet, S. 208

Wir wollen keine Askese üben: Das ist nicht im Gleichgewicht. Buddha sprach davon. Er war als

reicher junger Mann ins Leben gegangen, vor dem
Anblick von Armut und Sorge beschützt, und als er in
die Welt hinausging, sagte er: »Jetzt muß ich betteln
und arm werden.« Er versuchte es mit Fasten, und das
ging nicht so sehr gut. Das einzige, was dabei heraus-
kam, war ein Körper aus Haut und Knochen. Nach
einiger Zeit sagte er, es muß einen Weg geben, ein gut
ausgeglichenes Leben zu führen. Es muß einen mittleren Weg geben.

Im spirituellen Leben versuchen wir, das Gleichgewicht zu finden, damit wir, wenn wir Gott erfahren
und das Licht sehen — ob es nun das Blaue Licht oder
etwas anderes ist — in der Lage sind weiterzugehen.
Wir werden uns nicht krampfhaft fragen: »Werde ich
Es je wiedersehen?« Wenn die Zeit reif ist, wird es
geschehen. Andere werden den Ton hören. Dies sind
die zwei Aspekte Gottes, von denen die ECKisten und
sogar jene, die äußerlich nicht in ECKANKAR sind,
etwas zu lernen beginnen, und die sie in ihrem täglichen Leben erfahren.

Wie man Gott findet, S. 253

Jemand erwähnte, er wisse nicht, wie man Menschen
mit Motivation finden oder sie motivieren könne. Und
das kann man wirklich nicht. Es gibt Menschen, die
zu jeder Zeit motiviert sind. Manche sind eine Weile
lang motiviert, und dann nehmen sie sich eine Ruhe-
pause — die Ruhepunkte in der Ewigkeit. Es gibt einen
natürlichen Zyklus, den wir durchlaufen: Aktivität,
Ruhe, Aktivität, Ruhe. Ein ECKist lernt, den mittleren
Weg zu gehen, wo er die Aktivität und die Ruhe für
sich arbeiten läßt, so daß er ein bewußter Mitarbeiter
Gottes für die vierundzwanzig Stunden des Tages wird.

Wie man Gott findet, S. 377

Losgelöstheit

Losgelöstheit: Das Aufgeben starker Zuneigung für das Umfeld und den Besitz, aber ohne aufzuhören, sich damit zu identifizieren; frei von ihnen werden; auf mentaler Ebene frei von der Liebe zur Welt und allen weltlichen Wünschen.

Übersetzt aus ECKANKAR Dictionary, S. 33

Das Wort Losgelöstheit zu kalt ist. Was in spirituellen Begriffen damit gemeint ist, ist folgendes — wir, da wir eins mit allem sind, werden ein gewisses Ausmaß an Freud und Leid erfahren, aber wir werden nicht zulassen, daß es unser emotionales Gleichgewicht zu sehr beeinflußt und unseren Verstand in die extremen Pole der Freude und des Leides versetzt. Die wirkliche Kontrolle besteht in der Losgelöstheit von der Angst. Sobald du diese wichtige Eigenschaft Gottes erlangt hast, kannst du größeres Leben genießen. Ja du kannst Freude mit Schmerzen vermischt empfinden und nicht im gleichen Ausmaß davon berührt werden wie früher. Nur wenn die Angst die Kontrolle über jene zwei Pole hat, ist dein Leben an seine physischen, mentalen und spirituellen Besitztümer gebunden. Gib die Angst auf, und du brauchst in deinem Leben nie wieder etwas aufzugeben. Große Freuden — physische, mentale und spirituelle — können dein werden, ausgeglichen durch die Betrübnisse, die in deinem Leben notwendig sind!

Dialoge mit dem Meister, **Kap. 13**

51

Des Messers Schneide für den Menschen ist die ruhige Losgelöstheit von den Dingen dieser Welt. Und doch kann er sie als Segnungen des Lebens genießen, denn sein Karma aus der Vergangenheit hat sie ihm zu seiner Erfahrung gebracht. Im Leiden, in der Armut oder im Märtyrertum liegt kein Wert an sich, es sei denn, der einzelne benötigt diese Erfahrungen zur Reinigung der Seele.

Übersetzt aus *The Living Word*, S. 205

Kein Mensch kann Gott erreichen, indem er einen anderen Weg als die Hingabe an das SUGMAD durch den Mahanta praktiziert. Man muß von der Liebe zu materiellen Dingen und Ereignissen und von jeglicher Besorgnis über sie losgelöst sein. Der Chela erlangt diese Einstellung — weil seine Liebe ihren Schwerpunkt oberhalb der vergänglichen Dinge dieser Welt hat — und erreicht die himmlischen Ebenen.

Aus der Liebe für Sinnesobjekte erwachsen dem Menschen Wünsche; aus seinen Wünschen entsteht Ärger. Aus dem Ärger ergibt sich Täuschung, und die Täuschung ist die Ursache für wirre Erinnerungen und Sinne. Dies zerstört seine Liebe für Gott und durch all dies geht er zugrunde. Doch wenn er diszipliniert ist und seine Liebe in den Mahanta setzt, dann bewegt er sich unter den Sinnesgegenständen frei von Freuden und frei von Schmerzen, aber hauptsächlich in Freiheit von der Zügellosigkeit.

Shariyat-Ki-Sugmad, Buch Eins, Kap. 7

Das Vairag ist der losgelöste Bewußtseinszustand. Er kommt mit der Gottrealisation. Losgelöst heißt nicht ohne Mitgefühl, gleichgültig oder ohne Liebe. Es bedeutet einfach, daß man Mitgefühl haben kann, sich des Lebens freuen kann, aber daß Sorgen, die ins Leben treten, einen nicht bis ans Ende der Tage belasten. Man ist in der Lage, die Hand Gottes darin zu sehen.

Wie man Gott findet, S. 25

Barmherzigkeit ist das, was die Bibel den guten Willen nennt. Wir nennen es Vairag oder Losgelöstheit.

Wie man Gott findet, S. 47

Losgelöst heißt, dem Spiel des Lebens zuzuschauen — zu weinen, wenn wir müssen, zu lachen, wenn wir können — aber immer das Leben vom Standpunkt der Seele aus zu sehen und zu wissen, daß auch dies vorübergehen wird.

Wie man Gott findet, S. 316

Losgelöst heißt nicht emotionslos; es bedeutet, daß wir — ganz gleich was wir im Leben besitzen — nicht niedergeschmettert sind, wenn es uns weggenommen wird. Es heißt, daß unsere Haltung geprägt ist von dem absoluten Vertrauen, daß das Leben uns geben wird, was unserem spirituellen Nutzen dient.

Wie man Gott findet, S. 392

Es gibt einige Menschen, die von diesem Wasser der Unsterblichkeit trinken. Sie lernen, mit den Enzymen zu arbeiten und den Alterungsprozeß umzukehren, denn sie haben eine Aufgabe. Sie sorgen sich nicht darum, ob sie im Körper bleiben oder nicht. Sie tun einfach ihre Arbeit. Wer sich dafür qualifiziert, ist jemand, der lernt im Zustand des Vairag, oder der Losgelöstheit, zu arbeiten. Das bedeutet nicht, daß man jegliches Interesse an seiner Familie aufgibt, daß man all seine Emotionen abwirft und wie ein Zombie, ein computer-gesteuerter Roboter, durch das Leben geht und dann sagt: »Jetzt bin ich im losgelösten Zustand.« Nein. Jemand der dies tut, befindet sich nämlich im Schlafzustand.

Übersetzt aus *Journey of Soul,* Mahanta Transcripts, Book 1, S. 191

Wirtschaftlichkeit

Dienen bedeutet, aus jeder Bewegung, jedem Gedanken, allem was wir tun, das Beste zu machen. Ganz gleich, was wir denken oder welche Handlung wir ausführen, es wird daraus die fruchtbarste Tat, die wir als Seele tun können, welche lernt, ein Mitarbeiter Gottes zu werden. Ich habe mich auf dieses Dienen oft bezogen als auf das Gesetz der Wirtschaftlichkeit. Das heißt, daß wir in jeder Weise das Beste suchen. Wir versuchen, in jeder Hinsicht besonders gut zu sein. Wenn wir ein Bild malen, dann wird es das beste sein, daß wir heute malen können. Morgen aber werden wir es besser können. Wenn wir heute ein Buch schreiben, dann wird es sehr gut sein; aber das Buch, das wir morgen schreiben, wird noch besser sein. Wir benutzen das Gesetz der Wirtschaftlichkeit: Nur so viele Worte wie nötig, und das ist alles.

Wie man Gott findet, S. 393

Der Führer auf dem Weg lehrt . . . seine Studenten das Überleben in den spirituellen Dingen. Seine einfache Arbeitsweise wird gewöhnlich übersehen, wenn er die karmischen Schulden des Chela in einer Art Reihenfolge anordnet. Karma, das zur Rückzahlung fällig ist, wird — gemäß dem Gesetz der Wirtschaftlichkeit — ihm wieder aufgegeben.

Übersetzt aus The Living Word, S. 81

Oft bestimmen wir den Wert von etwas anhand der

Art wie es überreicht wird und aufgrund seiner Verpackung. Wenn es attraktiver erscheint, macht es uns nichts aus, dafür mehr zu bezahlen. Wenn wir so handeln, nutzen wir jedoch unsere Fähigkeiten nicht in vollem Umfang, nicht in Übereinstimmung mit dem Gesetz der Wirtschaftlichkeit.

Übersetzt aus *The Book of ECK Parables*,
Volume 2, S. 154

Einige Botschaften sind einfach sehr sinnvoll: »Wenn Du einkaufen gehst, zeige Dein Geld nicht.« Das ist das Gesetz der Wirtschaftlichkeit. Eine guter spiritueller Hinweis ist auch der folgende, der demonstriert, wie Liebe zurückgegeben wird: »Wenn Du immer gibst, wirst Du immer haben.«

Übersetzt aus *The Living Word*, S. 177

Es gibt etwas, das ich schon seit Jahren beobachte und studiere, und dies ist eines der Gesetze, die kaum erwähnt werden. Es wird das Gesetz der Wirtschaftlichkeit genannt. Auf das Prinzip dieses Gesetzes wird in einigen ECK-Büchern hingewiesen, ohne daß aber sein Name genannt wird. Es bedeutet schlicht, daß Sie aus jedem Liter Benzin soviel Kilometer wie möglich herausholen. Ich erreiche einen höheren Wirkungsgrad als früher, aber ich glaube dennoch, daß es noch nicht so schnell oder so weit geht, wie es möglich wäre, denn es gibt immer noch einen weiteren Schritt.

Übersetzt aus *The Secret Teachings*,
Mahanta Transcripts, Book 3, S. 46

Das Gesetz der Wirtschaftlichkeit setzt voraus, daß alles, was wir tun, in Harmonie mit dem ECK, in

Harmonie mit dem Leben ist.

Übersetzt aus *The Secret Teachings*,
Mahanta Transcripts, Book 3, S. 225

Das alles stimmt mit dem Gesetz der Wirtschaftlichkeit überein, denn Sie bekommen das, was Sie brauchen. Als Kind haben Sie nicht viele Wahlmöglichkeiten. Wenn Sie älter werden, sollten Sie mehr haben. Wir suchen nach spiritueller Freiheit, und das bedeutet auch, daß wir die Freiheit der Wahl haben müssen. Je weiter wir dem Weg von ECK folgen und je höher wir in die Gottwelten fortschreiten, desto größere Auswahl erwarten wir ...

Das spirituelle Prinzip hier ist, daß Sie bei allem was Sie tun, die größtmögliche Wirkung erreichen und daß aus allem eine spirituelle Wirkung wird. Indem Sie die spirituellen Übungen ausführen, sind Ihre Kräfte nicht mehr überall verstreut und verschwendet, sondern sie werden in eine Richtung gelenkt, in die Richtung nach Hause zu Gott, zu SUGMAD. Sie sehen also, daß das Gesetz der Wirtschaftlichkeit wichtig ist. Gewöhnlich wird nicht beachtet, daß sich das Gesetz der Wirtschaftlichkeit in allem, was wir tun und in den Menschen, die wir täglich treffen, ausdrückt.

Übersetzt aus *The Secret Teachings*,
Mahanta Transcripts, Book 3, S. 226

Wir wissen, daß die Weltwirtschaft nicht nach dem Gesetz der Wirtschaftlichkeit funktioniert. Amerika ist eines jener Länder, die in großem Ausmaß gegen dieses Gesetz verstoßen. Wie lange kann man weitermachen, ohne seine Schulden zu bezahlen? Einige Länder glauben, sie können immer die Notenpressen in Gang setzen und mehr Geld drucken. Es gibt ein Gesetz gegen Leute, die das in ihrem Keller tun, aber viele Regierungen arbeiten so — denn Sie bemerken nicht, wie das Gesetz des Karma arbeitet.

Das Leben eines Landes umspannt viele Jahrzehnte, und das Karma kommt nicht unbedingt am nächsten Tag zurück; manchmal dauert es einige Jahre. In der Zwischenzeit glauben alle, sie bekommen etwas umsonst. Aber sie vergessen das grundlegende Gesetz der Wirtschaftlichkeit, welches das Gesetz von Ursache und Wirkung ist. Man bezahlt für alles, was man bekommt, spirituell und materiell.

Die verschiedenen Länder der Erde handeln wie viele Menschen. Sie verstehen einfach die Gesetze nicht. Der ECKist ist unter den Auserwählten und Erleuchteten, der mindestens in seinem Kopf, wenn nicht in der Praxis, versteht, daß er irgendwann seine Schuld bezahlen muß — wenn nicht früher, dann eben später.

Übersetzt aus *The Secret Teachings*,
Mahanta Transcripts, Book 3, S. 228

Wenn etwas nicht so ausgeführt wird, wie ich es gerne hätte, ist die erste Sache, die ich mich frage: »Worin liegt meine Verantwortung dafür? Ist es möglich, daß ich es nicht klar genug mitgeteilt habe?«. Das ist sehr oft der Fall. So wie wir arbeiten, auf all den verschiedenen Ebenen und mit all den verschiedenen Sprachen, die wir sprechen, kann es ziemlich schwierig sein, miteinander zu kommunizieren. Je höher wir in ECK gehen, desto klarer wird unsere Kommunikation mit dem Geist Gottes. Und indem wir fortschreiten in ECK, sollte auch die Kommunikation zwischen den Initiierten reiner und klarer werden.

Ein Aspekt des Gesetzes der Wirtschaftlichkeit ist das Erkennen von Schwachstellen in jedem System auf der Welt. Dazu gehört, daß wir sowohl Schwachstellen in unserem eigenen Charakter und unserer Veranlagung erkennen und damit arbeiten, als auch die gleichen Züge in anderen sehen und ebenfalls versuchen, damit zu arbeiten.

Übersetzt aus *The Secret Teachings*,
Mahanta Transcripts, Book 3, S. 232

Übernehmen Sie Ihren Anteil der Prügel, denn in jeder Lektion ist das Körnchen Wahrheit versteckt, das Sie brauchen, um den nächsten Schritt zu gehen. Aber Sie können den nächsten Schritt nicht gehen, solange Sie nicht Ihren jetzigen Schritt gemacht haben. Sie müssen dort beginnen, wo Sie jetzt stehen. Wenn Sie unter dem Gesetz der Wirtschaftlichkeit und dem Gesetz der Liebe Ihr Leben voll leben können, dann sind Sie soweit, den nächsten Schritt zu gehen.

Übersetzt aus *The Golden Heart*, Mahanta Transcripts,
Book 4, Seite 144

Wir können uns selber beschwindeln soviel wir wollen, aber das spirituelle Gesetz besagt, daß wir für alles, was wir bekommen, in irgendeiner Weise zu bezahlen haben. Dies fällt unter das Gesetz der Wirtschaftlichkeit, welches in den niederen Ebenen bis hinauf zur Mentalebene wirkt. In den spirituellen Welten dominieren höhere Gesetze, wie das Gesetz der Liebe, aber hier unten sind wir in der Welt der Gegensätze — Mangel oder Überfluß, Höhen und Tiefen, Reichtum und Armut.

Karma und Reinkarnation fallen unter das Gesetz der Wirtschaftlichkeit. Wenn Sie Ihre spirituellen Energien auf geradestem Weg ausrichten, indem Sie sich immer vor Augen halten, wohin Sie gehen, werden Sie schneller durch diese Wiedergeburten hindurchgehen, als wenn Sie sich ablenken lassen.

Sie wählen sich ein Ziel aus, wie z.B. die Gottrealisation. Dann öffnen Sie sich dem Heiligen Geist, dem ECK, und gehen Ihren Weg direkt durch das Leben, um dieses Ziel zu erreichen. Es wird Hilfe geben auf dem Weg. Nehmen Sie die Dinge so, wie sie kommen, auch wenn sie zu dieser Zeit nicht mit Ihrem Glauben übereinstimmen.

Das Gesetz der Wirtschaftlichkeit beginnt hier unten im Physischen.

Übersetzt aus *The Golden Heart*, Mahanta Transcripts, Book 4, S. 125

Faksimiles

Faksimiles Gesetz der: Das sechste Gesetz des physischen Universums; daß alle Wirkungen im Leben durch Gedanken und Bilder des Verstandes des einzelnen entstehen.

Übersetzt aus ECKANKAR Dictionary, S. 51

Faksimiles nun befassen sich mit jenen Bildern, die Sie im Verstand aufzeichneten. Diese Bilder waren mit Ihnen, seit Sie in die Welt kamen. Sie werden von der Seele eingeordnet wie Karten in einer kleinen Nische im Seelenkörper ... Im allgemeinen werden Faksimiles entweder entliehen oder sie gehören einem selbst. Man kann entweder eines oder beides durch eine erzwungene oder eine unbewußte Basis haben. Sie werden einen auf die eine oder andere Weise beeinflussen ...

Diese Faksimiles sind lediglich kleine Energieeinheiten, die sich um Körper, Verstand und Seele ansammeln. Sie halten die Aufmerksamkeit des individuellen »Ich« auf sich gerichtet, besonders, wenn sie lästige Bilder sind. Die orientalische Religion nennt dies Karma.

Die Flöte Gottes, Kap. 7

Die Energieströme, die in Faksimiles aufgezeichnet sind, sind tote Ströme. Damit sie irgendwelches Leben oder irgendwelche Kraft haben können, muß ein neuer

Strom von Aufmerksamkeit vom einzelnen auf sie gerichtet werden. Sie sehen also, daß — ganz gleich was mit dem einzelnen nicht in Ordnung ist — er immer derjenige ist, der es in dieser Weise aufrechterhält. Dies liegt in Ursache und Wirkung begründet. Befindet man sich auf einer niederen Stufe, so scheitert man in seinem Sein. Man lebt von Todeswünschen, mit Eigenschaften des Nichtseins. Die Hauptaspekte von Ursache und Wirkung sind das Positive und das Negative. Ist ein Individuum Ursache, so ist es positiv; ist es Wirkung, so ist es negativ. Die Kunst guten Abbildens ist die Kunst vollen Seins.

Die Flöte Gottes, **Kap. 7**

Unsichtbare Gesetze

Die sieben Prinzipien des Bewußtseins . . . lauten wie folgt: 1. Würdigung, 2. Aufrichtigkeit, 3. Selbstlosigkeit, 4. Idealismus, 5. Hingabe, 6. Persönliche Bemühung und 7. Errungenschaft.

Dies sind die unsichtbaren Gesetze . . . Zum Beispiel — 1. Würdigung bedeutet — Würdigung des Lehrers; 2. Aufrichtigkeit heißt — den Sucher zu inspirieren, nach höheren Bewußtseinsebenen zu streben; 3. Selbstlosigkeit — die Bereitschaft, das individuelle Selbst dem Universum zu opfern; 4. Idealismus — die Fähigkeit, spirituelle Werte durch ein vollkommenes Muster wahrzunehmen; 5. Hingabe — das Anfüllen des Verstandes und der Seele mit Liebe, Streben und dem Geben des eigenen Selbst an das universale Bewußtsein; 6. Persönliche Bemühung — die spirituelle, motivierende Kraft, die in allen Menschen ist; 7. Errungenschaft — der Lohn für die Handlung des Spirit.

Dialoge mit dem Meister, **Kap. 36**

Karma

Karma, Gesetz des: Das Gesetz von Ursache und Wirkung, Aktion und Reaktion, Gerechtigkeit, Strafe und Belohnung, welches auf den niederen oder psychischen Welten Anwendung findet: der physischen, astralen, kausalen, mentalen und ätherischen Ebene; das Gesetz des universalen Ausgleiches, das unter das Gesetz der Schwingungen fällt; Einströmen und Ausströmen; eine Frage der Schwingungen; eines der zwölf Gesetze, durch die die Universen erhalten werden.

Übersetzt aus *ECKANKAR Dictionary*, S. 78

Die Universalität des Karmagesetzes ist einer der Hauptfaktoren, der das Leben verbindet, und nicht nur das menschliche Leben, sondern auch das tierische, pflanzliche und mineralstoffliche Leben. Sie alle bilden eine große Familie, mit einer komplizierten und untrennbaren Geschichte und einem untrennbaren Karma.

***Shariyat-Ki-Sugmad*, Buch Eins, Kap. 7**

Im großen und ganzen ist der Herr des Karma — nicht das Einzelwesen — verantwortlich für die Auswahl der Familie, durch welche die Seele die physische Ebene betritt. Wie ein Vormund, der für ein Kind das anvertraute Gut verwaltet, vermittelt er der Seele die Aufnahme in eine Familie, welche die beste Aussicht auf spirituelle Entwicklung bietet. Bei dieser Auswahl ist er nicht verpflichtet, die Gefühle oder eingebildeten Rechte der in Betracht kommenden Person zu berücksichtigen. Für ihn ist die Platzverteilung eine einfache Sache: Das Gesetz des Karma, das eine solche Verteilung regelt, ist das Gesetz. Man muß ihm gehorchen.

Kind in der Wildnis, **S. 22**

Das Schicksal steuert die Bedingungen bei der Geburt. Vieles, was der einzelne danach tut, ist Ausübung des freien Willens. Der freie Wille kann die Bedingungen des Schicksals überwinden, aber zuerst muß man seine schöpferischen Talente entwickeln, durch die man dann sein spirituelles und materielles Leben neu gestalten kann.

Um es zusammenzufassen: Das Schicksal regelt die Bedingungen bei der Geburt einer Person; der freie Wille erlaubt eine Wahl, wie sie damit umgeht und darüber hinausgeht.

Kind in der Wildnis, **S. 23**

So etwas wie gerechten Zorn gibt es einfach nicht. Das ECK kennt keinen Unterschied zwischen Zorn aus irgendeinem Grund und grundlosem Zorn. Durch das Gesetz des Karma teilt das ECK unparteiisch Gerechtigkeit aus, wann immer Emotionen in irgendeiner Weise aus dem Gleichgewicht geraten.

Übersetzt aus *The Golden Heart,* **Mahanta Transcripts, Book 4, S. 175**

Wenn jemand ein Heiler sein möchte und dann von jemandem anderen dessen Krankheit annimmt, hat er sich die Übernahme dieses Karma von dem anderen Menschen verdient. Der Grund dafür ist oft, daß der Einzelne die Gesetze des Heiligen Geistes nicht kannte

oder sich unter der Herrschaft einer der fünf Leidenschaften befand: Gier, Ärger, Lust, Bindung und Eitelkeit. Das ist es, was unser Karma verursacht.

**Übersetzt aus *Journey of Soul*, Mahanta Transcripts,
Book 1, S. 124**

Menschen, die psychisches Heilen praktizieren, können dabei vielleicht jahrelang ungeschoren bleiben,
denn das Karmagesetz hat keine Eile. Der Heilige
Geist hat viel Zeit; Er hat keine Eile, die Schulden
einzutreiben, die ein Mensch erzeugt hat. Ein psychi-
scher Heiler kann vielleicht zehn, zwanzig oder sogar
vierzig Jahre lang sehr gut sein; aber es könnte sein,
daß dann ganz plötzlich seine Gesundheit sich ver-
schlechtert. Das Karma ist zurückgekommen; es muß
bezahlt werden. Er weiß nicht, was geschehen ist, nur
daß er andere heilen kann, aber nicht sich selbst.
Außerdem weiß er nicht, warum es geschehen ist. Er
versteht absolut nicht, daß er die Gesetze des Heiligen
Geistes verletzt hat.

Wie man Gott findet, S. 48

Je höher man im Bewußtseinszustand wächst, desto
schneller kommen die eigenen Handlungen auf einen
zurück. In der Bibel sprach der Heilige Paulus von
diesem Gesetz des Karma, als er sagte: »Was ein Mensch
sät, das soll er auch ernten.«

Wie man Gott findet, S. 20

Bevor man den spirituellen Weg betritt, hat man in der
Regel eine Lebenszeit oder zwei hinter sich, die man
zurückzahlt, und man kann die Verbindung nicht
herstellen zwischen dem, was man in der Vergangenheit falsch gemacht hat, und der Bezahlung, die jetzt

fällig wird. Wenn Sie auf dem spirituellen Weg weitergehen, kommt es umso schneller zurück, je höher Sie gehen. Wenn Sie etwas tun, das zwischen einem anderen und der Gottrealisation steht, dann stellen Sie sehr schnell fest, daß Sie ein spirituelles Gesetz gebrochen haben. Es kommt manchmal innerhalb einer Woche, einiger Minuten oder gar Sekunden auf Sie zurück. Es kommt so schnell zurück, daß Sie erkennen: Ah! Dieser Schmerz ist das Ergebnis eines Mangels an Verständnis für jenes spirituelle Gesetz.

Wie man Gott findet, S. 66

Wenn man noch nicht die hohen Zustände spirituellen Bewußtseins erreicht hat, kommt dieses Gesetz des Karma nicht unmittelbar auf einen zurück. Je höher man in seiner Bewußtheit kommt, desto schneller reagiert es. Das ist in einer Weise gut und in einer anderen schlecht. Ich möchte sagen, aufs Ganze gesehen ist es gut, denn sobald Sie zum Beispiel jemanden betrügen, schlägt das Gesetz zurück und Sie bringen das Karma schneller hinter sich. Je höher Sie kommen, desto schmaler wird der Weg — manche bezeichnen es als des Messers Schneide.

Menschen, die wirklich keine Rücksicht auf das spirituelle Gesetz nehmen, lernen vielleicht gerade das Leben, nehmen es so, wie sie es vorfinden, betrügen, rauben und haben ihre Freude daran. Das Gesetz verlangt manchmal die Rückzahlung erst in zwei, zehn, zwanzig oder dreißig Jahren oder vielleicht erst im nächsten Leben. Wenn die Bezahlung nicht gleich fällig wird, wenn jemand das spirituelle Gesetz verletzt, glaubt derjenige, er kommt ungeschoren davon. Aber jede Handlung muß in echter Münze voll abgezahlt werden.

Wie man Gott findet, S. 177

Ich kann Ihnen bei einigen der Lasten helfen, aber ich werde sie nicht alle von Ihnen nehmen. Schulden Gott gegenüber, die einmal gemacht wurden, müssen von demjenigen zurückgezahlt werden, der sie verursacht hat. Das ist das Gesetz des Lebens: Was ein Mensch sät, das soll er auch ernten.

Wie man Gott findet, S. 200

Einer der Vorteile des Weges von ECK ist, daß wir viel von unserem Karma auf den inneren Ebenen abarbeiten können, so daß wir hier nicht hindurchgehen müssen. Wenn wir Schulden gemacht haben, müssen wir sie an Gott zurückzahlen. Aber auf dem Weg von ECK haben wir diesen Vorteil: Sie müssen nicht immer hier im Physischen ausgearbeitet werden; sie können auf den inneren Ebenen im Traumzustand abgearbeitet werden.

Wie man Gott findet, S. 208

Wir wurden mit Vorstellungen von einem Gott gefüttert, der uns heilt, ganz gleich, was wir falsch machen. Manche Menschen denken, sie brauchten nur zu bitten. Sie glauben, sie könnten anderen einen Rat geben, der vielleicht deren Leben zerstört, und wenn sie sagen: »Gott, bitte vergib mir« wird das alles vergessen sein. Leider kennen diese Menschen das spirituelle Gesetz nicht. Der Heilige Paulus sagte: »Was ein Mensch sät, das soll er auch ernten.« Und genau das bedeutet es. Man kann sich selbst zum Narren halten. Ein Mensch kann sich falsch ernähren, bis es seine Gesundheit beeinträchtigt, und dann argumentieren, er werde immer einen Arzt finden, der sich um ihn kümmert. Oder er kann Gott um eine Heilung bitten. Und wenn das nicht funktioniert, denkt er: »Gott hat mich nicht geheilt; deshalb kann der Gott dieses Glaubens nicht richtig sein.« In Wirklichkeit hat er eine Schuld gegenüber dem Heiligen Geist auf sich geladen; er muß sie selbst zurückzahlen. Niemand außer ihm selbst kann ihm helfen.

Wie man Gott findet, S. 243

Natur

Natur, Gesetze der: Die Gesetze der negativen Kraft; die Gesetze des physischen Universums; die Naturgesetze.

Übersetzt aus *ECKANKAR Dictionary*, S. 86

Nun lautet das Gesetz der Welt, wie wir es kennen, folgendermaßen: Wenn die Aufmerksamkeit des Menschen auf einen Gegenstand ausgerichtet wird, der ihm Vergnügen bereitet, wird er Schmerz empfinden, wenn dieser entfernt wird.

Du siehst also, dieses Naturgesetz zwingt uns, die Aufmerksamkeit vieler auf ein permanentes Objekt zu richten, damit die Emotionen nicht zu sehr durch Freud oder Leid außer Balance geraten.

Dialoge mit dem Meister, Kap. 13

Während sich der Mensch auf der Erde aufhält, unterliegt er den Gesetzen der negativen Kraft, oder was oft als die 'Naturgesetze' bezeichnet wird.

Dialoge mit dem Meister, Kap. 29

Das Gesetz der Natur sagt uns wenig oder praktisch nichts über die Natur, aber mit Gewißheit etwas über den Menschen. Feststellungen über die Welt sind in Wirklichkeit Feststellungen über uns selbst. Was der Mensch im gewöhnlichen Verlauf des Lebens erfährt, ist relativ nichts als das Absolute, das in einer speziellen Weise erfahren wird.

Dialoge mit dem Meister, Kap. 37

Polarität

Polarität, Gesetz der: Das Gesetz der Gegensätze.
Das dritte Gesetz des physischen Universums; der
Zustand der Gegensetzlichkeit zwischen zwei verwandten Faktoren; Yin und Yang (negativ und positiv),
feminin und maskulin; die negative oder reaktive Seite
und die positive oder aktive Seite; der dritte Teil ist der
passive oder mittlere Weg; alles in diesem Universum
ist getragen, belebt, erhalten durch und steht im
Gegensatz zu seinem Gegenteil.

Übersetzt aus *ECKANKAR Dictionary*, S. 114

Polarität bedeutet einfach den Zustand des Gegensat-
zes zwischen zwei beliebigen verwandten Faktoren:
Licht und Dunkelheit, Hitze und Kälte, Materielles
und Immaterielles, Harmonie und Dissonanz, Positi-
ves und Negatives, Nord und Süd, Männliches und
Weibliches, etc.

***Die Flöte Gottes*, Kap. 7**

Jeder, der auf dieser Seite des Polaritätsgesetzes lebt,
ist nicht frei, sondern er ist jemand, der immer auf
Umstände reagiert, der von reaktiven Gewohnheiten
versklavt ist, immer ausgenutzt wird und nach mate-
rialistischen Faktoren trachtet...
  Wenn jemand perfektes Wissen über den Spirit
erlangt, muß er nicht sofort den physischen Körper und
die feinen Körper aufgeben. Er hat die Wahl, solange

er sich als dessen Mittler in vollkommener Harmonie mit dem Spirit befindet, mit dem Leben hier fortzufahren, und wird vom Gesetz der Gegensätze nicht gestört.

Die Flöte Gottes, **Kap. 7**

Dieses Gesetz besagt, daß jede Erscheinung, auf welcher Stufe und in welcher Welt sie auch immer auftreten mag, von der molekularen bis zur kosmischen Erscheinung, das Ergebnis des Zusammentreffens der beiden, verbunden mit dem dritten, dem passiven mittleren ist. Dies ist nicht das passive Element, das Sie in der Negation finden, sondern ein Ausbalancieren der beiden. Es ist der Weg, den Buddha den »mittleren Weg« nannte und von dem er während seines Lebens auf diesem Planeten so viel predigte. Das wissenschaftliche Denken erkennt heute die Existenz positiver und negativer Kräfte . . . Aber die Wissenschaft hat nie die Frage nach einer dritten Kraft aufgeworfen. Der exakten göttlichen Wissenschaft gemäß kann eine Kraft, oder zwei Kräfte, niemals Erscheinungen erzeugen. Das Vorhandensein der dritten Kraft ist immer notwendig, um irgendwelche Erscheinungen zu erzeugen. Diese neutrale Kraft ist direkter Wahrnehmung und direktem Verstehen nicht zugänglich.

Die Vorstellung von der Einheit der drei in absolutem ECK formt die Grundlage der drei Welten und der alten Lehren.

Die Flöte Gottes, **Kap. 7**

In diesem materiellen Universum wirkt das Gesetz der Polarität, oder das Gesetz der Gegensätze. Nichts existiert außer in Beziehung zu seinem Gegenteil. Dies gilt auch innerhalb der psychischen Welten; der

Astral-, Kausal- und Mentalwelt. Innerhalb der himmlischen Welten gilt dies jedoch nicht; denn hier trifft es zu, daß es keine Gegenteile gibt, obwohl die heiligen Schriften der Welten es behaupten.

Diese Schriften behaupten, daß die Guten in irgendein himmlisches Paradies eintreten, während die Bösen auf ewig in irgend einer feurigen Region bestraft werden. Dies ist das Gesetz der Gegensätze oder der Polarität. Diejenigen, die gut sind, ziehen das Gute an, und diejenigen, die böse sind, ziehen das Böse an. Daher stellt man in den himmlischen Zuständen fest, daß die Polarität oder das aufeinander Einwirken zwischen zwei Objekten nicht länger besteht, und daß die Seele die Freiheit besitzt zu tun, was immer sie wünscht, solange es in den allgemeinen Rahmen des himmlischen Gesetzes fällt. Dieses Gesetz lautet: »Liebe ist alles, und tue, was du willst.«

Shariyat-Ki-Sugmad, **Buch Zwei, S. 110**

Wenn die Seele in die Regionen der Unsterblichkeit oder die Welten des reinen Spirit oberhalb der psychischen Welten eintritt, findet sie keine Gegensätze vor. Licht ist Licht, und es gibt kein Gegenteil zu ihm und den Tönen von ECK, nur die Polarität der höchsten Eigenschaften. Deshalb ist der ECKist ein Realist, denn er weiß, wie man das Gesetz der Polarität anwendet. Wenn er sein Bewußtsein in der psychischen Welt gebrauchen muß, dann ist er fähig, das Gesetz der Gegensätze auszunutzen. Doch wenn er sich in der Welt des wahren Reich Gottes befindet, dann ist er fähig, das Polaritätsgesetz zu seinem eigenen Nutzen durch diesen bewußten Zustand anzuwenden.

Shariyat-Ki-Sugmad, **Buch Zwei, S. 110**

»Eines dieser Gesetze lautet: 'Nichts kann existieren außer in Beziehung zu seinem Gegenteil.' Dies ist ein

uraltes Prinzip des Positiven und Negativen. Das
Positive ist die ausströmende, die Gottkraft; und das
Negative ist die träge, empfangende Kraft.

Zum Beispiel muß Lachen sein Gegenteil haben,
Tränen; und ebensowenig kann das Universum voll-
ständige Freude ohne Leid haben. Deshalb ist dieses
Universum nicht statisch, sondern in einem ständigen
dynamischen Zustand. Es gibt nichts Ewiges auf dieser Ebene, außer der Veränderung selbst. Hier tritt
Gott in unser Leben, denn hinter der Veränderung
liegt das Ewige, das Unveränderliche, das das äußere
Auge nicht sehen kann. Solange irgend etwas auf der
mentalen und physischen Ebene existiert, muß es sich
in ständiger Veränderung befinden.

Das zweite Prinzip lautet nun, 'daß das Positive
sich ständig in das Negative umwandelt und dem-
entsprechend das Negative sich ewig im Prozeß befindet, das Positive zu werden'. . .

Jede Kraft braucht die andere in dieser Welt. Ohne
die eine könnte die andere nicht existieren . . . Die Lehre
muß neu belebt und reformiert werden, um der Welt
zu zeigen, wie man die beiden Kräfte ausnutzt, und
nicht dem individuellen Aspiranten die Belastung
auferlegt, sich ständig an eine zu halten, da dies fast
unmöglich ist, wenn er nicht vom ECK-Meister ge-
schult wird. Verzweifle deshalb nicht, wenn dich der
Zyklus zu einem Zeitpunkt in tiefe Depression versetzt
und sich dann später zum Höheren wendet und
umgekehrt.«

Dialoge mit dem Meister, Kap. 8

Jenseits der Seelenebene in den Welten des Heiligen
Geistes beginnen wir, im Ganzen zu arbeiten. Es gibt
dort keine Gegenden oder Ebenen, die wir kennen; es
ist einfach eine Welt aus Licht. In den niederen Regio-

nen, in denen wir jetzt leben, kann man etwas nur durch sein Gegenteil erkennen — Wahrheit durch Unwahrheit, Licht durch Dunkelheit. Auf der Seelenebene spaltet sich dieser ECK-Strom oder Geist Gottes, der aus dem Zentrum Gottes herunterkommt, in zwei Teile, den positiven und den negativen. Es gibt Manifestationen dieser Spaltung, und obwohl wir sie als selbstverständlich ansehen, zeigt sie sich rund um uns doch überall. Wenn man bügeln will, muß man erst den Stecker in die Steckdose an der Wand stecken und benutzt dabei wechselnde Ströme — den positiven und den negativen. Wir sehen die Höhe der Berge und die Tiefe der Täler, weil die einzige Möglichkeit, etwas in diesen niederen Welten zu erkennen, im Vergleich mit dem Gegenteil liegt. Wir denken immer in Teilen.

Die griechischen Philosophen kamen dem spirituellen Blickpunkt sehr nahe. Sie versuchten, einen Überblick zu bekommen, wenn sie auf das Leben schauten, wie es hier existiert, und sie gingen vom Ganzen her daran. Im Westen spalten wir es auf — Mann und Frau, Glück und Unglück — und im allgemeinen betrachten wir das Leben in seinen Teilen.

Wie man Gott findet, S. 204

Umgekehrte Bemühung

Umgekehrte Bemühung, Gesetz der: Die Wirkungsweise der Imagination durch Verneinung, wodurch zur Wirkung gebracht wird, was man vermeiden möchte.

Übersetzt aus **ECKANKAR Dictionary, S. 125**

Beispielsweise besagt das Gesetz von der Umkehrung der Bemühung einfach, daß jemand umso größere Schwierigkeiten zu überwinden haben wird, je angestrengter er sich bemüht, ein Ziel zu erreichen; Schwierigkeiten, die zumindest teilweise in der Heftigkeit des Bemühens ihre Ursache haben. Du strengst Dich zu sehr an; entspanne Dich, nimms leicht, und versuche es noch einmal, sind Redewendungen, die wir so häufig in der westlichen Welt hören. Wir müssen den Verstand auf einen Punkt ausrichten, wie die östlichen Adepten erklären, sollten uns dabei aber im Mentalen nicht verspannen. Wir sollten niemals versuchen, Ergebnisse zu erzwingen, sondern bei unserer Aufgabe bleiben und bis zum Schluß durchhalten, uns dabei aber niemals selber zu Fall bringen.

ECKANKAR — Der Schlüssel zu geheimen Welten, S. 210

In ECK ist es als das Gesetz der Umkehrung der Bemühung bekannt! Dieses Gesetz ist ein anwendbares Naturgesetz, das nur den Menschen betrifft, denn der Mensch ist das einzige Tier auf der Erde, das von seinen imaginativen Fähigkeiten Gebrauch machen kann! Dieses Gesetz betrifft die Imagination. Es lautet folgendermaßen: Je mehr Du versuchst, Deine imaginativen Kräfte in konzentriertem Bemühen einzusetzen, desto weniger vermagst Du es. Je heftiger man sich bemüht, ein Ziel zu erreichen, desto mehr Schwierigkeiten wird man zu überwinden haben; Schwierigkeiten, die wenigstens teilweise in der eigenen angespannten Bemühung ihre Ursache haben. »Du strengst Dich zu sehr an, entspanne Dich . . . immer mit der Ruhe; nimm es nicht so schwer; versuche es noch einmal . . .« sind Redewendungen, die man häufig hört. Das heißt, daß man versuchen sollte, Ergebnisse nicht zu erzwingen!

Nimm als Beispiel folgendes: Wenn sich jemand auf einem Fahrrad bemüht, zwischen Steinen auf einer Straße vorbeizufahren und zu vermeiden sucht, an die größeren Steine anzustoßen, dann ist er so bewußt, die Steine zu treffen, daß es ihm wahrscheinlich passieren wird. Oder wenn jemand versucht, im zehnten Stockwerk über eine schmale Planke von einem Gebäude zum anderen zu gehen, wird sein Verstand sich mit dem Herunterfallen befassen und nicht mit dem Hinübergehen. Du siehst, dieses Gesetz betrifft das Imaginieren und das Gefühl! Was Du Dir vorstellst, muß Gefühl enthalten — deshalb wird das negative Imaginieren wahrscheinlich wirkungsvoller als das positive Imaginieren sein, weil beim negativen das Gefühl stärker beteiligt ist!

Briefe an Gail, Band 1, S. 39

»Natürlich hat jede Situation, die man gewaltsam zu ändern versucht, die Tendenz fortzudauern. Deshalb gelingt es so vielen nicht, ihrer Probleme Herr zu werden, gleichviel, wer ihnen dabei hilft. Durch Kraftanstrengungen werden Probleme und Situationen nur massiver, welcher Entschluß zur Veränderung auch immer dahinterstehen mag. Allgemein gesprochen: je größer die in den Umständen enthaltene Unwahrheit, umso massiver wird sie, sobald Kraft angewandt wird.«

Übersetzt aus *The Key to ECKANKAR*, S. 37

Einheit

Einheit, Gesetz der: Das siebte Gesetz des physischen Universums; das Denken im Ganzen statt in Teilen.

Übersetzt aus *ECKANKAR Dictionary*, S. 154

Das siebte Gesetz des physischen Universums ist das Gesetz der Einheit, das Denken im Ganzen statt in Teilen. Es ist ein einfacher Weg, die Lösung des Problems in dem Augenblick, in dem es sich stellt, zu kennen. Dies wird gewissermaßen Befreiung von den Fesseln der Welt genannt, um die die Menschen ihren Gott immerzu angefleht haben.

Dieses Gesetz bedeutet einfach, daß man ganz im ECK sein muß, um sich als der ganze Mensch zu erfreuen und fähig zu sein, bewußt auszuwählen, was man im Leben will, und daran zu arbeiten.

Die Flöte Gottes, Kap. 7

Einige der alten griechischen Philosophen pflegten vom Ganzen aus zu denken. Sie gingen vom Überblick aus. Der westliche Mensch denkt gewöhnlich in Teilen. Die meisten Menschen denken nur in Bruchteilen; und weil sie es tun, können sie nicht einen Schritt zurücktreten und einen Blick auf die gesamte Lage werfen; deshalb unterliegen sie einem Problem, bevor sie auch nur einen Schritt getan haben.

Wie man Gott findet, S. 376

Schwingung

Schwingung, Gesetz der: Das vierte Gesetz des Universums, das alle Einflüsse wie Wellenlängen, Ausfließen, Einfließen, Ursache und Wirkung und die Harmonie der Bewegung des Tons regiert.

Übersetzt aus *ECKANKAR Dictionary*, S. 159

Das vierte Gesetz dieses Universums ist das Gesetz der Schwingung oder der Harmonik. Dies ist das Gesetz, das alle Einflüsse auf die Seele und den Körper in dieser Welt regelt, wie Wellenlängen, Ausströmungen von Planeten, Sternen, Himmelskörpern, Musik, Klang, Farbe und allgemeine Harmonien. Unter dieses Prinzip fällt Karma, Ursache und Wirkung und Einströmen und Ausströmen.

Die Flöte Gottes, **Kap. 7**

Eine nähere Betrachtung zeigt die Manifestation des Gesetzes der Harmonik in Schwingungen aller Art, einschließlich Licht, Hitze, Chemie und anderer Schwingungswissenschaften.

Die Flöte Gottes, **Kap. 7**

Von den sieben Tonstufen der Musik [enthält] jede Oktave, do-re-mi-fa-sol-la-ti, ... eine gute Grundlage zum Verständnis des Kosmischen Gesetzes der Schwingungen. Jede Oktave hat eine aufsteigende Oktave, in der die Frequenz der Schwingungen zunimmt ... Wenn man ... die Skala entlanggeht, stellt man fest, daß sie absinkt, nach ti, und fortfährt, immer wieder um die Skala herumzugehen, bis sie einen Kreis oder etwas Kreisähnliches bildet. Dies gilt für das physische Universum, denn nichts hält eine gerade Linie.

Die Flöte Gottes, **Kap. 7**

Nichts in der physischen Welt am gleichen Platz bleibt oder verbleibt, was es war; alles bewegt sich, alles geht irgendwo hin, verändert sich und es entwikkelt sich entweder zwangsläufig oder es geht zugrunde, wird schwächer und entartet ... Aufstieg und Abstieg ist die unvermeidliche kosmische Bedingung jeder Handlung.

Die Flöte Gottes, **Kap. 7**

Gesetze der Nächstenliebe

Die Gesetze, die der Seele größere
Fähigkeit zur Liebe geben.

Gesetze und Regeln
für den Chela

Die Gesetze und Regeln für den ECK-Chela sind einfach. Sie lauten dahingehend, Harmonie, Reinheit und Vollkommenheit von der Seele zu schenken. Dies bedeutet, sich im Himmel aufzuhalten, während man sich im physischen Träger aufhält.

Shariyat-Ki-Sugmad, **Buch Eins, Kap. 5**

Er muß die Disziplinen von ECK praktizieren. Die erste Disziplin lautet, Reinheit des Verstandes zu haben, damit keine Worte in seinen Verstand eintreten, die die Luft verunreinigen würden. Er soll alle Menschen als Geschöpfe Gottes betrachten und als nichts anderes; denn sie sind wie er Tempel, die schließlich einmal Mitarbeiter Gottes werden.

Er muß im Verstand ständig von allen Kal-Gedanken fasten, die seinen mentalen Zustand und sein Bewußtsein infizieren könnten. Dadurch erfährt er die mächtige Bewußtheit der Gegenwart des Lebenden ECK-Meisters, der ständig bei ihm ist. Er lernt, wie er von der konfliktreichen Welt um ihn herum weder getäuscht noch verärgert werden kann. Er weiß, daß alle Universen, egal ob sie der Herrschaft des Kal Niranjan unterstehen oder nicht, in Wirklichkeit Welten der Vollkommenheit, Harmonie und des Guten sind.

Er lernt, daß die Geduld die größte Disziplin der gesamten spirituellen Werke von ECK ist. Mittels Geduld kann er das Leben, Härten, karmische Lasten, die Verleumdungen der Menschen und die Stiche von Schmerzen und Krankheiten ertragen. Er hält seinen Verstand mit Standfestigkeit auf das Licht Gottes ausgerichtet, schwankt niemals und läßt seine Aufmerksamkeit nie vom Ziel der Gottrealisation abschweifen.

Er lernt Bescheidenheit und Keuschheit in seinem Leben auf der Erde kennen, und daß alle seine Verantwortung Gott gehört und niemandem oder nichts innerhalb dieses physischen Bereiches. Die Menschen, die er liebt, seine Familie und Verwandten sind Abbilder Gottes, die in diesem weltlichen Leben und dieser Verkörperung widergespiegelt sind, um dem SUGMAD, der Höchsten Gottheit zu dienen ...

Er wird zwischen allen Dingen zu unterscheiden lernen, daß es weder Gut noch Böse, weder Schönheit noch Häßlichkeit und keine Sünde gibt. Daß all dies Konzepte des Verstandes sind, die dualen Kräfte in den Welten der Materie. Sobald er dies erkennt und versteht, dann wird er von allen Kal-Fallen frei sein.

Er wird bereit sein, in das Reich Gottes, den Ozean der Liebe und Güte einzutreten.

Er wird das ECK SELBST sein

Shariyat-Ki-Sugmad, **Buch Eins, Kap. 5**

Der Weg von ECK beseitigt die fünf Leidenschaften des Verstandes nicht; wir lernen, sie unter Kontrolle zu halten. Wie? Durch konzentrierte Aufmerksamkeit, die Kraft der Seele, die durch das Chanten Ihres Wortes entzündet wird. Wenn Sie Ihr Wort chanten, haben Sie sofort die Kraft, sich im Bewußtsein so weit anzuheben, daß Sie in der Lage sind, aus jeder Situation einen Schritt zurückzutreten, damit sie Sie nicht überwältigt. Dann können Sie sie objektiv und ohne Emotionen anschauen und herausfinden, was geschieht. Fragen Sie sich: Ist es in meinem besten Interesse?

Oder verwendet jemand seine kreative Vorstellung dazu, mich in eine Falle der Dimensionen seiner Zeit und seines Raums zu locken.

Wie man Gott findet, S. 323

»In dieser Wahrheit zu leben, im Wort zu verweilen, heißt, die Früchte aller Dinge in reichstem Maße zu ernten; das heißt, harmonisch in den spirituellen Sinnen zu leben.«

Übersetzt aus *The Key to ECKANKAR,* S. 40

Kreativität

Kreativität, Gesetz der: Jedes Atom ist ständig darum bemüht, mehr Leben zu manifestieren; alle sind intelligent, und alle versuchen, die Wirkung, für die sie geschaffen wurden, zu erfüllen.

Übersetzt aus *ECKANKAR Dictionary*, S. 29

Das Leben ist ein Geheimnis, bis wir auf den Weg von ECK kommen. Wir beginnen zu verstehen, daß wir der Schöpfer unserer eigenen Welt sein können und daß in Wahrheit das, was wir heute sind, die Schöpfung dessen ist, was wir in der Vergangenheit getan haben. Es gibt einen Weg, die Zukunft zu ändern, und wir können es tun. Aber man schafft es nicht, indem man es sich wünscht.

Wenn jemand die Gottrealisation sucht, muß das etwas mehr sein als nur eine vorübergehende Idee. Es ist nicht wie eine Mode, die man nur eine Saison lang trägt; das hohe Streben nach Gott vergißt man nicht einfach. Es muß etwas sein, das auf sanfte Weise in Ihrem Herzen lebt. Sie wissen, daß, ganz gleich, was auf dem Weg geschieht, es immer dazu dient, Sie dichter an die Quelle der Erschaffung der Seele im Herzen Gottes zu führen. Die Seele will nach Hause zurückkehren.

Wie man Gott findet, S. 35

Man entwickelt einen Sinn für Humor, und wenn Herausforderungen auf einen zukommen, beginnt man seine Kreativität zu benutzen. Man findet Lösungen, die einem früher nie eingefallen wären. Das Leben macht mehr Spaß — man hat tatsächlich ein erlebnisreicheres Leben. Man wird in Situationen hineingeführt, in die man früher nicht gekommen wäre, weil man einen Schritt über sich selbst hinausgeht. Und wenn man sich selbst in Schwierigkeiten bringt, hat man auch die Hilfe, wieder herauszukommen, denn wenn man lernt, mit seinen eigenen Mitteln zu arbeiten, entwickelt man Selbst-Meisterschaft.

Wie man Gott findet, S. 94

»Shakespeare sagt, die Funktion eines Dichters sei es, zum Himmel hinaufzugreifen und Ideen zur Erde herabzubringen. Es ist wahr, daß der Gedanke seinen Ursprung nicht im Menschen, sondern im Himmel hat. Wohin ging Beethoven, um seine fünfte Symphonie zu finden? War Jesus der Urheber der Bergpredigt? Wenn große Dichtung und große Musik dich inspirieren, was wird da empfangen, ausgetragen und daraus geboren? Du kannst zwischen Edlem und Unedlem wählen. Du verstehst Poesie und Musik, liebst sie und läßt sie in dein Bewußtsein einfließen. Du siehst also, daß wir alle der Sonne, dem Mond und den Sternen verbunden sind. Wir können unser Bewußtsein zu höheren Ebenen erheben und von oben, wie von der Mastspitze eines Schiffes aus, Vergangenheit, Gegenwart und Zukunft — alles in einem Augenblick — mit den Augen der Seele erschauen.«

Übersetzt aus *The Key to ECKANKAR,* S. 27

Der Gedanke erzeugt die Form, aber es ist das Gefühl, das dem Gedanken Lebenskraft verleiht.

Denken ohne zu fühlen mag auf manchen technischen Gebieten konstruktiv sein, kann im Wirken eines

Künstlers oder Musikers aber niemals schöpferisch sein. In allem, was aus sich selbst entsteht, muß eine Neuordnung des Kausalprinzips erkannt werden, eine Schöpfung, die innerlich eng verbundene Realität des Denkens und Fühlens. Diese untrennbare Einheit von Denken und Fühlen unterscheidet das kreative Denken vom analytischen und versetzt es in eine andere Kategorie. Wenn sich jemand einen neuen Ausgangspunkt zunutze macht, um das Schöpfungswerk fortzusetzen, so muß dies geschehen, indem man das Gefühl des Göttlichen ECK dem eigenen Gedankenmuster anpaßt, indem man in den ECK-Strom eintritt.

Die Bilder im Verstand, die aus dem Strom des Spirit kommen, müssen allgemeiner Natur sein. Der Grund dafür ist, daß das Lebensprinzip gemäß seiner wahren Natur produktiv sein muß, zur Mannigfaltigkeit neigt, und daher muß das ursprüngliche Gedankenbild für die ganze Menschheit wesentlich und nicht auf einzelne Individuen beschränkt sein. Folglich muß das Bild im ECK-Strom ein absolutes Urbild sein, das die wahren wesentlichen Bestandteile für die vollkommene Entwicklung der Menschheit enthält, eben das, was Plato mit den archetypischen Ideen meinte. Dies ist die vollkommene Substanz des sich im Gedanken befindlichen Gegenstandes.

Daher hängt unsere Entfaltung als Zentren kreativer Aktivität, als Repräsentanten neuer Gesetze und dadurch neuer Bedingungen, von unserer Erkenntnis ab, daß die Göttliche Kraft der Archetypus der Vollkommenheit des Bewußtseins ist, gleichzeitig wie Denken und Fühlen.

Die Flöte Gottes, **Kap. 9**

Danda, das Gesetz
der Rechtschaffenheit

Danda: Selbstdisziplin; manchmal das Gesetz des
Lebens genannt. Das göttliche Recht der Menschen
und der Könige; arbeitet in beiden Richtungen, keiner
darf die Rechte des anderen verletzen; Gesetz der
Rechtschaffenheit

Übersetzt aus ECKANKAR Dictionary, S. 31

Diejenigen von Ihnen, die den Einsatz bringen wollen,
können diese Selbst-Meisterschaft im Leben auch erreichen. Sie kommen nicht dazu, daß Sie beginnen, den
Heiligen Geist zu steuern oder zu beherrschen, denn
der Heilige Geist läßt sich nicht beherrschen oder
steuern. Menschen, die dies versuchen, benutzen die
psychischen Kräfte wie schwarze Magie. Stattdessen
lassen Sie den Heiligen Geist ohne irgendwelche Sper-
ren oder Hindernisse durch sich hindurchfließen.
Schließlich werden Sie Sein reines Werkzeug als ECK-
Meister; und was auch immer Er will, Sie führen es
aus. Wenn Sie eine Anweisung auf den inneren Ebenen
erhalten, fangen Sie sofort an, sich Möglichkeiten
auszudenken, wie man sie ausführen kann. Manchmal
wird es eine Weile dauern. Sie wählen Prioritäten und
arbeiten entsprechend.

Wie man Gott findet, S. 94

Wenn Sie zum Zustand der Selbst-Meisterschaft gelangen, bedeutet das nicht, daß Sie jetzt die Freiheit

haben, ein Leben zu leben, in dem Sie tun, was Ihnen gerade gefällt. Es bedeutet einfach, daß Sie jetzt die Gesetze des Heiligen Geistes kennen und verstehen, soweit sie Sie betreffen. Sie wissen, was Sie tun können und was Sie nicht tun können. Und während Sie mit diesen Richtlinien Ihren Weg durchs Leben gehen, sind Sie auch ein Werkzeug für den Heiligen Geist.

Wie man Gott findet, S. 198

Ein Christ, der nach dem Gesetz der Rechtschaffenheit lebt, ist einem Chela, der andere Chelas in nutzlose Diskussionen darüber verwickelt, ob es Dogmen in ECKANKAR gibt, weit überlegen. Auch wenn wir letztendlich auf einem Weg sind, der sich auf die innere Realität der Wahrheit konzentriert, brauchen wir den äußeren Ausdruck der Wahrheit, während wir uns im menschlichen Körper befinden.

Übersetzt aus *The Living Word*, S. 77

Das rechtschaffene Gesetz wird Danda genannt. Es behandelt die göttlichen Rechte der Menschen wie auch die Rechte der Könige. Wenn es in beide Richtungen wirkt, so bedeutet das, daß keiner die Rechte des anderen verletzen kann. Das Gesetz in Büchern niederschreiben zu müssen und dies als eine Richtlinie zu benutzen, um die Gesellschaft in Einklang mit dem Moralstandard des Lebens zu halten, heißt, Unordnung in die Gesellschaft zu bringen. Während die menschliche Rasse ihren Abstieg in zivilisierten Normen beginnt, besteht und bestand eine Verschiebung des Zentrums der Regierung vom Inneren des Menschen zu erlassenen Verordnungen; mit anderen Worten, von tief im inneren Bewußtsein des Menschen eingebetteten moralischen Normen zu in Büchern niedergeschriebenen Gesetzen. Als die Zeit kam, in der

das fundamentale Danda, das Gesetz der Rechtschaffenheit, nicht mehr im Herzen der Menschen, sondern
in Büchern war, setzte der Verfall der Zivilisation zum
Niedergang der Gesellschaft ein.

Allein die ECK-Meister haben solche Veränderungen beobachtet und versucht, die menschliche Rasse
über den Niedergang jeder Zivilisation in der Geschichte der Menschheit hinauszuheben. Die Aufgabe ist
schwer, doch seit dem Goldenen Zeitalter, das seit
langem zu Ende ist, durchlebte jeder ECK-Meister, der
auf dieser Erde Zeit verbrachte, das Silberne Zeitalter,
das Kupferne Zeitalter und andere, um die
degenerativen Veränderungen zu beobachten. Lang-
sam kam das Eiserne Zeitalter, das den tiefsten Stand
in der individuellen und gesellschaftlichen Degeneration
darstellt. Dies ist die Periode, während der moderne
Gesetze, Regierungen und gesellschaftliche Regelun-
gen zu erscheinen begannen. Der Mensch, angeblich
weiser Natur, begrüßte diese Veränderungen als fort-
schrittlich; doch es stimmt nicht, daß der Mensch in
seinem Wesen fortgeschritten ist, sondern er ist zu den
Wirkungen der Kal-Kräfte abgesunken. Er erkennt
solch eine negative Kraft nicht, und wenn überhaupt,
verachtet er sie als nichtig in seinem Leben.

Shariyat-Ki-Sugmad, **Buch Zwei, S. 65**

Dharma

Dharma: Das Gesetz des Lebens; die Rechtschaffenheit des Lebens; das tun, was richtig ist; die Regeln des Verhaltens, die die richtige Ethik im Leben aufrechterhält.

Übersetzt aus ECKANKAR Dictionary, S. 34

Es wird als selbstverständlich angesehen, bevor man auf dem Weg von ECK beginnt, daß man sich eine gute Grundlage in den Grundsätzen der Rechtschaffenheit aneignet. Man muß in allen Aspekten des eigenen Lebens das Dharma praktizieren, das Gesetz des Lebens selbst. Dies bedeutet, das zu tun, was man als ein ECK-Chela tun sollte. Ohne daß man dies tut, kann man im Leben nicht vorwärtskommen.

Shariyat-Ki-Sugmad, Buch Eins, Kap. 7

Karma ist natürlich mit Reinkarnation verbunden. Es ist in zwei Teile unterteilt; Ursache und Rechtschaffenheit, welche die Grundfaktoren sind, die Karma erzeugen. Es ist der Ungehorsam gegenüber dem Gesetz des Dharma, welches Richtigkeit oder Rechtschaffenheit ist, das Gesetz des Lebens oder das, was getan werden sollte, welcher Karma für den einzelnen oder für Gruppen bewirkt.

Shariyat-Ki-Sugmad, Buch Zwei, S. 65

»Man sollte dabei niemals vergessen, daß unedle

Gedanken und Handlungen unweigerlich unglückliche Folgen nach sich ziehen.«

Übersetzt aus *The Key to ECKANKAR*, S. 16

Die negative Kraft oder Satan ist nur ein Lehrer, der Gottes irdisches Klassenzimmer leitet, wo die Seele ihre Reinigung erfährt, so daß Sie eines Tages wieder in den himmlischen Bewußtseinszustand der Bewußtheit eintreten und ein Mitarbeiter Gottes werden kann.

Sie und ich — Seele — wir wurden im Herzen Gottes erschaffen und in die niederen Welten geschickt, weil wir einfach anderen nicht dienen wollten. Wir dienten nur uns selbst, genossen unser Leben auf der Seelenebene und in anderen Welten und wollten in keiner Weise irgend etwas geben. Und so kamen wir in die niederen Welten ...

Viele von Ihnen schreiben und fragen: »Was ist meine Aufgabe im Leben?« Es ist, ganz genau gesagt, die Aufgabe, ein Mitarbeiter Gottes zu werden. Wie das auf Ihre speziellen Fähigkeiten umzusetzen ist, ist eigentlich eine Sache zwischen Gott und Ihnen. Es ist nicht an mir, das zu sagen.

Wie man Gott findet, S. 8

Ein weiterer Punkt ist, ein karmafreies Leben zu führen. Zu handeln, ohne zusätzliches Karma zu schaffen, bedeutet, alles im Namen Gottes oder im Namen jenes Inneren Meisters in Ihnen zu tun. Dies ist ein einfacher Weg, durch das Leben zu gehen.

Wie man Gott findet, S. 10

Wir sind daran interessiert zu lernen, wie man das Leben voll und ganz lebt, nicht, wie man kontempliert und sich vom Leben zurückzieht. Indem wir das Leben voll leben, bekommen wir die Erfahrung, die wir brauchen, um eines Tages ein Mitarbeiter Gottes zu werden. Sie brauchen dazu jede denkbare Erfahrung. Es ist besser, loszuziehen und etwas zu tun, von dem Sie später feststellen, daß es falsch war, als nichts zu tun. Wenigstens haben Sie etwas gelernt — und wenn es nur ist, daß Sie es nie wieder tun würden — , und Sie sind dann klüger als vorher.

Wie man Gott findet, S. 92

Es gibt keine einfache Art, die Lehren von ECK und die darin enthaltene Wahrheit zu erklären. Das Verstehen muß eine individuelle Angelegenheit sein. Das beste, was wir für unsere Familie tun können, ist, um ihr Wohlwollen zu bitten, uns den Weg unserer Wahl studieren zu lassen. Geben Sie ihnen die gleiche Freiheit und freuen sie sich einfach als Menschen aneinander und als solche, die sich lieben. Manchmal können wir es ausarbeiten, manchmal nicht.

Ich habe es wirklich nicht gerne, wenn die Lehren von ECK zwischen den Mitgliedern einer Familie stehen, und ich empfehle ganz bestimmt nicht, sich die ECK-Kurse hintenherum zu beschaffen, zum Beispiel über ein anonymes Postfach. So etwas ist unaufrichtig. Im spirituellen Leben stellen Sie fest, daß man aufrichtig sein muß. Wir sehen nicht Ethik als unser Ziel, wir suchen Gottrealisation; aber während wir in unserer spirituellen Entfaltung Fortschritte machen, wächst unsere Ethik, und zwar mehr als auf jedem anderen Weg.

Wie man Gott findet, S. 122

Es geht mir vor allem darum, daß das äußere Leben in harmonischem Gleichgewicht bleibt und daß Sie

nicht losgehen und plötzlich merkwürdige Dinge tun
— Ihre Arbeit aufgeben, alle Ihre Ersparnisse von der
Bank abheben und in ein Ashram gehen. Das ist nicht
das spirituelle Leben. Das spirituelle Leben besteht
darin, die Pflichten auszuführen, die wir übernommen
haben, wie Famile und Kinder, und Wege herauszu-
finden, sie zu unterstützen. Darin liegt heutzutage die
Herausforderung des Lebens.

Wie man Gott findet, S. 162

Eines der spirituellen Prinzipien, die ich gelernt habe,
ist, daß es immer einen Weg gibt, ganz gleich wo. Wenn
wir ein Problem der Gesundheit, der Finanzen oder
irgendwelcher anderer Art haben — es gibt immer
einen Ausweg.

Wie man Gott findet, S. 196

Die Vier Zoas

Die Vier Zoas (Gesetze) von ECKANKAR für die Mahdis, die Initiierten des Fünften Kreises, lauten: (1) Der Mahdis soll keinen Alkohol, keinen Tabak und keine Drogen benutzen, keine Glücksspiele betreiben und sich in keiner Weise der Maßlosigkeit hingeben. Kein Mahdis soll auf der tierischen Stufe existieren. Er ist ein Führer und muß seine Aufmerksamkeit oberhalb der Psychologie des Rohlings ausgerichtet halten. (2) Der Mahdis soll nicht mit der Zunge der Eitelkeit, der Täuschung und des Unglücklichseins sprechen, die Handlungen anderer kritisieren, anderen für unrechte Taten die Schuld geben, streiten, kämpfen oder anderen Verletzungen zufügen. Er soll zu allen Zeiten seinem Mitmenschen gegenüber zuvorkommend und höflich sein und großes Mitgefühl und Glück an den Tag legen. (3) Der Mahdis soll Bescheidenheit, Liebe und Freiheit von allen Bindungen der Glaubensbekenntnisse haben. Er soll von den Karmagesetzen frei sein, die ihm mit Prahlerei und Eitelkeit eine Falle stellen. Er soll Liebe für alle Menschen und alle Geschöpfe des SUGMAD haben. (4) Der Mahdis muß zu allen Zeiten die Botschaft von ECK verkünden und der Welt beweisen, daß er ein Beispiel der Reinheit und des Glücks ist. Er muß aufzeigen, daß der Schüler im menschlichen Körper einen Meister im menschlichen Körper braucht. Dies ist ein feststehendes Gesetz des SUGMAD. Zum Zeitpunkt seines Dahinscheidens übergibt jeder

ECK-Meister seine Arbeit einem weiteren ECK-Meister, der sich im Körper befindet, und dieser führt sie weiter, bis seine Zeit gekommen ist, den menschlichen Körper in die anderen Welten zu transzendieren. Diejenigen, die transzendieren, werden weiterhin mit den ECK-Chelas zusammenarbeiten, die sie auf der Erde initiiert haben, nachdem diese Chelas über die Grenzen des Todes in die oberen Welten Eingang gefunden haben. Ihr ECK-Meister trifft sie, und sie beginnen ihre weitergehenden Studien unter ihm in den himmlischen Welten.

Dies sind die vier Gesetze für die Mahdis, die Initiierten des Fünften Kreises. Sie sollen befolgt werden und sollen den Respekt erhalten, den man dem Mahanta erweist, denn jedes Gesetz trägt große Autorität und Macht in sich. Die Werke von ECKANKAR hängen hauptsächlich von den Mahdis ab.

Shariyat-Ki-Sugmad, **Buch Zwei, S. 45**

Liebe

Liebe, Gesetz der: Das Prinzip, das den Gedanken die dynamische Kraft gibt, mit ihrem Objekt in Wechselbeziehung zu treten und daher jede widrige menschliche Erfahrung zu meistern; Gefühl, das Gedanken Vitalität verleiht; Gefühl ist Verlangen und Verlangen ist Liebe.

Übersetzt aus *ECKANKAR Dictionary*, S. 90

Bevor du dieses Leben verläßt, mache dir die Mühe, die geheimen Leitlinien von ECK zu lernen. Es ist das Gesetz der Liebe, das allein dich zu Gott bringen kann.

Übersetzt aus *The Living Word*, S. 229

Das Gesetz der Liebe wird dir die zu deinem spirituellen Wachstum und deiner Reife nötigen Materalien bringen.

Versuche deshalb, wenn du Liebe benötigst, zu erkennen, daß die einzige Möglichkeit, Liebe zu erhalten, darin besteht, sie zu geben, und daß du umso mehr erhältst, je mehr du gibst, und daß die einzige Art und Weise, in der du sie geben kannst, die ist, dich damit anzufüllen, bis du ein Magnet der Liebe wirst.

Vereinfacht ausgedrückt, lautet die Mechanik der Liebe folgendermaßen: Der Gedanke ist ein Kanal der Emotionen und wird vom Gesetz der Schwingung getragen, genau wie das Licht und die Elektrizität. Durch das Gesetz der Liebe wird ihm durch die Gefühle

Lebenskraft verliehen; durch das Gesetz des Wachstums nimmt er Form und Ausdruck an; er ist ein Produkt der Seele und ist daher vom Wesen her göttlich, spirituell und kreativ.

Dialoge mit dem Meister, Kap. 24

Da wir wissen, daß wir nicht jeden gleichermaßen lieben können, so können wir nur eine gewisse Anzahl mit warmer Liebe bedenken, müssen nach dem Gesetz aber allen unpersönliche Liebe schenken.

Dialoge mit dem Meister, Kap. 3

Es gibt viele Wege, die wir zum Himmel nehmen können. Gott hat so viele Pfade und Mittel für uns eingerichtet, daß es für jeden von uns — sogar für einen Atheisten — einen Weg gibt. Das klingt fast nach einem humorvollen Paradoxon, aber es ist wahr. Ein Atheist kann Gott näher sein als ein die Bibel herumtragender wiedergeborener Christ, einfach weil es sein kann, daß er ein besseres Verständnis des Gesetzes der Liebe hat.

Übersetzt aus *The Golden Heart*, Mahanta Transcripts,
Book 4, S. 85

Jeder Mensch muß zuerst danach streben, Liebe zu geben, wenn er erwartet, sie zu erhalten. Er muß sie unter allen Umständen geben — selbst wenn er beleidigt, mißhandelt und unnötigen Härten in dieser Welt unterworfen wird.

Shariyat-Ki-Sugmad, Buch Eins, Kap. 7

Du mußt die Wahl treffen, nur diejenigen zu lieben, die die Treue haben, dir Liebe zu erwidern, und die

deine Liebe nicht für einen selbstsüchtigen Zweck gebrauchen werden. Das ist die Anwendung von Unter-
scheidungsvermögen bei deiner Liebe für deinen
Mitmenschen.

Dialoge mit dem Meister, **Kap. 3**

Das Subjektive kann Umstände ändern, weil es ein
Teil des universalen Verstandes ist, und ein Teil muß
das gleiche sein wie die kreative Kraft der ECK-Kraft.
Dies (wie alles andere auch) wird vom Gott-Gesetz
beherrscht, und dieses Gesetz ist das Gesetz der Liebe,
die die Gott-Kraft in der Schöpfung ist, welche sich
automatisch mit ihrem Objekt in Wechselbeziehung
setzt und es zur Manifestation bringt.

Dialoge mit dem Meister, **Kap. 19**

Wir beschuldigen Kal Niranjan — welcher natürlich
unsere eigene grundlegende Natur ist — wegen unserer Probleme. Um es anders auszudrücken, das Kal ist
unsere auf freien Fuß gesetzte Schwäche. Vielleicht ist
es ehrlicher, Kal Niranjan, den König der niederen
Welten, als etwas anzusehen, das wir selbst geschaffen
haben, das kein Leben oder keine Energie hat bis auf
das, was wir ihm geben. Mit anderen Worten, ich zeige
mit dem Finger direkt zurück auf den Betreffenden
— gewöhnlich uns selbst — der diesen Stoß von Energie an andere Menschen aussendet. Wir sind verantwortlich für all die Unstimmigkeiten, die durch unseren
Ärger in anderen geschaffen werden als auch für jene
Unstimmigkeiten, die diese wiederum an andere weiter-
geben. Je höher Sie als Initiierter in ECK gehen, desto
größer wird Ihre Verantwortung. Das Gesetz der Liebe
wird sehr genau genommen.

Übersetzt aus *The Golden Heart*, **Mahanta Transcripts,**
Book 4, S. 176

Natürlich gibt es ein noch größeres Gesetz, und das ist das Gesetz der Liebe. Dies ist das Gesetz des Heiligen Geistes, das Gesetz vom Licht und Ton Gottes. Sie können es in Ihr eigenes Leben aufnehmen, und wenn Sie das tun, kann es Ihnen niemand mehr wegnehmen oder Ihnen sagen, dieser oder jener Weg sei richtig für Sie. Sie werden das selbst wissen, aus direkter Erfahrung mit dem Licht und dem Ton Gottes.

Wie man Gott findet, S. 201

Man kann feststellen, daß nicht jedermann von spiritueller Ekstase berührt wird. Diejenigen aber, die davon berührt werden, fühlen, daß Liebe das Bewußtsein völlig durchtränkt und das ganze Wesen überwältigt. Liebe ist Gott und Liebe ist das Handeln Gottes. Erinnerungen, Zweifel, Ängste sind — durch Liebe wahrgenommen — weit entfernt, verblaßt angesichts einer Liebe, die in sich selbst so absolut ist, so gesondert von Logik, daß nichts anderes von Belang ist. Der Tod ist nur ein Zwischenfall. Man mag Qualen durchzustehen haben, bis man stirbt, doch das hat nichts zu sagen. Der Schmerz stirbt schließlich an seiner eigenen Nichtigkeit, wie unwiderruflich verlorene Jahre. Die Liebe aber lebt ewig! Das Leid und die Vergangenheit sind nur die Larve der Liebe; ihre Hülle, ihr Saatbeet, aus dem unumgängliche Bagatellen solche Wunder erblühen lassen, wie das tröstliche Erbeben, wenn wir Gottes Hand auf unserer Schulter fühlen.«

Übersetzt aus The Key to ECKANKAR, S. 26

»Wissen kann uns zu vielen Dingen verhelfen, denn Wissen ergibt sich aus einer Erweiterung des Verstandes, aber das Bewußtsein des Herzens bringt uns Liebe, und Liebe bringt alle Dinge.«

Übersetzt aus The Key to ECKANKAR, S. 29

Nichteinmischung

Auch der Lebende ECK-Meister mischt sich niemals in die persönlichen Angelegenheiten von jemandem ohne dessen ausdrückliche Genehmigung ein. Das spirituelle Gesetz verbietet es.

Übersetzt aus *The Wind of Change*, S. 162

Die Lektion war, daß ein spirituelles Wesen den persönlichen Freiraum anderer nicht verletzen kann, auch wenn er verzweifelt versucht, seinen Lebensunterhalt zu verdienen.

***Kind in der Wildnis*, S. 293**

Jeder, der ein Mittel der Veränderung oder der Einflußnahme auf den mentalen Bereich eines anderen, einschließlich des Gebets, anwendet, verletzt ein Gesetz des spirituellen Bewußtseins.

***ECKANKAR — Der Schlüssel zu geheimen Welten*, S. 288**

Wenn wir jemand anderen mit Problemen und Schwierigkeiten sehen, können wir Mitgefühl haben; aber wir verstehen, daß er sich irgendwo auf seinem Weg diese Probleme durch seine eigenen Taten geschaffen hat. Wir lassen ihm die Freiheit, seine Schwierigkeiten zu haben. Wenn er in diesem oder jenem Sinn um Hilfe oder Mitgefühl bittet, können wir sie ihm geben, aber wir werden uns sicherlich nicht in die Probleme eines anderen einmischen und sie auf uns nehmen, indem wir sagen: »Ich werde für seine Heilung beten.« Wir lernen die Gesetze des Heiligen Geistes.

Wie man Gott findet, S. 47

Der Lebende ECK-Meister wird sich zu keiner Zeit in Ihr Leben einmischen, denn Ihr Bewußtseinszustand ist so wie Ihr Haus — es ist eine Verletzung des spirituellen Gesetzes, ohne Ihre Erlaubnis einzutreten. Die Schwierigkeiten, die wir haben, haben wir selbst erzeugt durch unsere Unkenntnis dieser spirituellen Gesetze. Diese Gesetze wirken, ganz gleich, ob wir uns ihrer Wirkungsweise bewußt sind oder nicht.

Wie man Gott findet, S. 84

Man muß den Preis für die Verletzung des spirituellen Gesetzes zahlen, auch wenn man es in Unkenntnis tut. Das ist das höchste Gesetz. »Tue anderen so, wie du wünscht, daß sie dir tun«, dieser Spruch bedeutet wirklich: Wenn ich nicht möchte, daß sich ein anderer in mein Leben ohne Erlaubnis einmischt, sollte ich das gleiche Recht auch anderen einräumen.

Wie man Gott findet, S. 186

Schweigen

Kamit: Das Gesetz des Schweigens, was bedeutet, über die geheimen Lehren, persönliche Angelegenheiten mit ECK und über das persönliche Wort, das man bei den Initiationen erhält, zu schweigen.

Übersetzt aus *ECKANKAR Dictionary*, S. 79

Ein spirituelles Gesetz, wie z.B. das Gesetz des Schweigens, mag oberflächlich entwappnend einfach sein, aber sein Ausmaß wird erst offensichtlich, wenn der einzelne versucht, es zu praktizieren. Dieses spezielle Gesetz besagt, daß man schweigen soll über das, was zwischen dem spirituellen Studenten und dem Mahanta, welcher der Innere Meister ist, ausgetauscht wird, es sei denn, natürlich, der Meister gibt eine andere Anordnung. Aber die Leute tendieren dazu, diese Gesetze zu übersehen, speziell wenn die Tests in ihrem eigenen Garten stattfinden.

Übersetzt aus *The Living Word*, S. 36

Das heilige ECK, oder das Wort, muß in Stille praktiziert werden. Nur wer das Wort in der Initiation erhalten hat, kann den Segen des SUGMAD durch den Mahanta empfangen. Das Praktizieren des persönlichen, geheimen Wortes jedes Initiierten soll laut ausgeführt werden, wenn man allein ist, oder im Stillen, wenn man sich in der Öffentlichkeit befindet. Er soll das Kamit, das Gesetz des Schweigens, nicht nur mit seinem eigenen Wort praktizieren, sondern auch bei seinen eigenen Angelegenheiten mit ECK und bezüglich dessen, was ihm in den geheimen Lehren vermittelt wurde, Stille bewahren.

Shariyat-Ki-Sugmad, **Buch Eins, Kap. 9**

Wir müssen für unsere eigene spirituelle Entfaltung arbeiten. Es wird keine Anfeuerer geben, die am Wegrand applaudieren. Kaum jemand wird sich unserer Erfahrungen im Licht und Ton Gottes bewußt sein, wenn wir dem Gesetz des Schweigens Folge leisten. Die inneren Initiationen können Jahre vor dem rosa Zettel kommen, der uns einlädt, den Zyklus der Initiationen auf der physischen Ebene zu beenden.

Übersetzt aus *The Living Word*, S. 234

Das Gesetz des Schweigens ist gut. Es ist das Beste, unsere Probleme nicht vor allen auszubreiten, damit andere Leute sie anschauen und darüber diskutieren können. Die ECK-Meister sagen uns: »Vergeßt den Klatsch. Das ist etwas, das Ihr nicht braucht.« Es könnte so aussehen, als ob sie sagen würden, sie wollen nicht, daß wir klatschen, weil es nicht hochstehend, nicht spirituell ist — es ist einfach, weil all diese mentalen Konzepte uns nichts bedeuten.

Übersetzt aus *The Journey of Soul*, Mahanta Transcripts, Book 1, S. 75

Wenn andere etwas von Ihren Erfahrungen in ECK wissen möchten, dann brauchen Sie keine große Erklärung zu geben. Sie können das Gesetz des Schweigens beachten und ihnen einfach sagen: »Es ist nicht wichtig, welche Erfahrungen ich habe, sondern welche du hast.« Geben Sie ihnen einfach ein ECK-Buch und sagen Sie: »Probiere die spirituellen Übungen . . .

Wenn du feststellst, daß sie bei dir funktionieren, schön — der Weg hat dir etwas zu bieten. Wenn nicht, dann ist es vielleicht nichts für dich. Aber versuche es selbst.«

Wie man Gott findet, S. 111

Glossar

Begriffe in KLEINEN GROßBUCHSTABEN werden im Glossar an anderer Stelle definiert.

ARAHATA. Ein erfahrener und qualifizierter Lehrer für Klassen in ECKANKAR.

CHELA. Ein spiritueller Schüler.

EBENEN. Die Stufen des Himmels, zum Beispiel die Astral–, Kausal–, Mental–, Ätherische und Seelenebene.

ECK. Die Lebenskraft, der Heilige Geist oder Hörbare Lebensstrom, der alles Leben erhält.

ECKANKAR. Die Religion von Licht und Ton Gottes. Auch als die uralte Wissenschaft des SEELENREISENS bekannt. Eine wahrlich spirituelle Religion für das Individuum in der modernen Welt, bekannt als der geheime Weg zu Gott via Träume und Seelenreisen. Die Lehren bieten einen Bezugsrahmen für jeden, der seine eigenen spirituellen Erfahrungen erforschen möchte. Von Paul Twitchell, dem Gründer in unserer Zeit, 1965 herausgebracht.

ECK MEISTER. Spirituelle Meister, die Menschen in ihren spirituellen Studien und Reisen helfen und sie beschützen. Die ECK Meister gehören einer langen Linie gottrealisierter Seelen an, die die Verantwortung kennen, die mit spiritueller Freiheit einhergeht.

HU. Der geheime Name für Gott. Das Singen des Wortes HU, gesprochen "Hju", wird als Liebeslied für Gott aufgefaßt. Es wird im ECK Gottesdienst gesungen.

INITIATION. Das ECK Mitglied verdient sie sich, indem es sich spirituell entfaltet und Gott dient. Die Initiation ist eine private Zeremonie, in der der einzelne mit dem Ton und Licht Gottes verbunden wird.

LEBENDER ECK MEISTER. Der Titel des spirituellen Führers von

117

ECKANKAR. Es ist seine Plicht, Seelen zu Gott zurückzuführen. Der Lebende ECK Meister kann spirituelle Schüler im Physischen als Äußerer Meister, im Traumzustand als Traummeister und in den spirituellen Welten als Innerer Meister unterstützen. Sri Harold Klemp wurde 1981 der Mahanta, der Lebende ECK Meister.

MAHANTA. Ein Titel, der die höchste Stufe des Gottbewußtseins auf der Erde beschreibt, oft im LEBENDEN ECK MEISTER verkörpert. Er ist das Lebende Wort.

SATSANG. Eine Klasse, in der Schüler von ECK einen monatlichen Kurs von ECKANKAR studieren.

SEELE. Das Wahre Selbst. Der innere, heiligste Teil jeder Person. Die Seele existiert vor der Geburt und lebt nach dem Tod des physischen Körpers weiter. Als Funke Gottes kann die Seele alle Dinge sehen, wissen und wahrnehmen. Sie ist das kreative Zentrum Ihrer eigenen Welt.

SEELENREISEN. Die Bewußtseinserweiterung. Die Fähigkeit der SEELE, den physischen Körper zu transzendieren und in den spirituellen Welten Gottes zu reisen. Das Seelenreisen wird nur vom LEBENDEN ECK MEISTER gelehrt. Es unterstützt die spirituelle Entfaltung und kann den Beweis für die Existenz Gottes und das Leben nach dem Tod liefern.

DAS SHARIYAT-KI-SUGMAD. Die heiligen Schriften von ECKANKAR. Die Schriften bestehen aus zwölf Bänden in den spirituellen Welten. Die ersten beiden wurden von den inneren EBENEN durch Paul Twitchell, den Gründer von ECKANKAR in unserer Zeit, niedergeschrieben.

SPIRITUELLE ÜBUNGEN VON ECK. Die tägliche Anwendung gewisser Techniken, um mit dem Licht und Ton Gottes in Berührung zu kommen.

SUGMAD. Ein heiliger Name für Gott. SUGMAD ist weder männlich noch weiblich; ES ist die Quelle allen Lebens.

TON UND LICHT VON ECK. Der Heilige Geist. Die zwei Aspekte, durch die Gott in den niederen Welten in Erscheinung tritt. Sie können durch inneres Betrachten und Hören und mit SEELENREISEN erfahren werden.

WAH Z. Der spirituelle Name von Sri Harold Klemp, gesprochen "Wah Sie." Es bedeutet die Geheime Lehre. Es ist sein Name in den spirituellen Welten.

Bibliographie

ECKANKAR Dictionary. 2d ed. Minneapolis: ECKANKAR, 1973, 1989.

Klemp, Harold. *The Book of ECK Parables,* Volume 2. Minneapolis: ECKANKAR, 1988.

_____ . *Kind in der Wildnis.* Minneapolis: ECKANKAR, 1992.

_____ . *The Golden Heart,* Mahanta Transcripts, Book 4. Minneapolis: ECKANKAR, 1990.

_____ . *Wie man Gott findet,* Vorträge des Mahanta, Band 2. Minneapolis: ECKANKAR, 1994.

_____ . *Journey of Soul,* Mahanta Transcripts, Book 1. Minneapolis: ECKANKAR, 1988.

_____ . *The Living Word.* Minneapolis: ECKANKAR, 1989.

_____ . *The Secret Teachings,* Mahanta Transcripts, Book 3. Minneapolis: ECKANKAR, 1989.

_____ . *The Wind of Change.* 4th Printing. Minneapolis: ECKANKAR, 1980.

Twitchell, Paul. *Dialoge mit dem Meister.* Minneapolis: ECKANKAR, 1977

_____ . *ECKANKAR—Der Schlüssel zu geheimen Welten.* Minneapolis: ECKANKAR, 1977.

_____ . *The Far Country,* 9th printing. Minneapolis: ECKANKAR, 1971.

_____ . *Die Flöte Gottes*. Minneapolis: ECKANKAR, 1980.

_____ . *The Key to ECKANKAR*. 2d ed. Minneapolis: ECKANKAR, 1968, 1985.

_____ . *Briefe an Gail,* Band I. Minneapolis: ECKANKAR, 1980.

_____ . *Letters to Gail,* Volume II. 5th printing. Minneapolis: ECKANKAR, 1977.

_____ . *Das Shariyat-Ki-Sugmad,* Buch Eins. Zweite Auflage. Minneapolis: ECKANKAR, 1995.

_____ . *Das Shariyat-Ki-Sugmad,* Buch Zwei. Minneapolis: ECKANKAR, 1981.

_____ . *The Wisdom Notes: 1968–1971*. Minneapolis: ECKANKAR, 1980.

Wie man mehr über ECKANKAR, die Religion von Licht und Ton Gottes, erfahren kann

Warum sind Sie für Gott ebenso wichtig, wie jedes berühmte Staatsoberhaupt, jeder Priester, Pfarrer oder Heilige, der jemals lebte?

- Kennen Sie den Sinn Gottes in Ihrem Leben?
- Warum erscheint der Wille Gottes so unvorhersagbar?
- Warum sprechen Sie mit Gott, aber praktizieren keine Religion?

ECKANKAR kann Ihnen zeigen, warum Gottes besondere Aufmerksamkeit weder zufällig, noch einigen bekannten Heiligen vorbehalten ist. Sie gilt nämlich jedem einzelnen. Sie gilt jedem, der sich dem Göttlichen Geist, dem Licht und Ton Gottes öffnet.

Die Menschen möchten das Geheimnis von Leben und Tod kennen. Um diesem Bedürfnis zu entsprechen, haben Sri Harold Klemp, der heutige spirituelle Führer von ECKANKAR, und Paul Twitchell, der Gründer von ECKANKAR in unserer Zeit, eine Reihe monatlicher Kurse geschrieben, welche die Spirituellen Übungen von ECK vermitteln. Sie können die Seele auf einem direkten Weg zu Gott führen.

Jene, die ECKANKAR studieren möchten, können diese besonderen monatlichen Kurse erhalten, welche klare, einfache Anweisungen für spirituelle Übungen geben.

Die Mitgliedschaft in ECKANKAR beinhaltet:

1. Die Möglichkeit, Weisheit, Nächstenliebe und spirituelle Freiheit zu gewinnen.
2. Zwölf monatliche Kurse mit Informationen über die Seele, die spirituelle Bedeutung von Träumen, Techniken zum Seelenreisen und über Wege, eine persönliche Verbindung zum Göttlichen Geist herzustellen. Sie können sie allein zu Hause oder zusammen mit anderen in einer Klasse studieren.
3. Die *Mystic World,* ein vierteljährliches Rundschreiben mit einer Weisheitsnotiz und Artikeln des Lebenden ECK Meisters. Sie enthält auch Briefe und Artikel von Schülern von ECKANKAR aus der ganzen Welt. Eine deutsche Ausgabe der *Mystic World* ist auf besondere Bestellung erhältlich. Informationen über die Bestellung erhalten Sie, wenn Sie sich zur Mitgliedschaft in ECKANKAR anmelden und angeben, daß Sie die deutsche Sprache bevorzugen.
4. Besondere Zusendungen, um Sie über kommende ECKANKAR Seminare und Aktivitäten in der ganzen Welt, über neu verfügbares Studienmaterial von ECKANKAR und anderes zu unterrichten.
5. Die Möglichkeit, an ECK-Satsangklassen und Buchbesprechungen an Ihrem Wohnort teilzunehmen.
6. Die Möglichkeit, zu einer Initiation zugelassen zu werden.
7. Die Teilnahme an bestimmten Treffen für Mitglieder von ECKANKAR bei ECK Seminaren.

Wie Sie Kontakt aufnehmen können

Wenn Sie an einer Mitgliedschaft interessiert sind, oder an kostenloser Information über ECKANKAR, wenden Sie sich bitte an ECKANKAR, Att: Information, P.O. Box 27300, Minneapolis, MN 55427 U.S.A., Tel.: 001–612–544–0066 (Mo–Fr 8.00–17.00 Uhr US–Zentralzeit).

Einführende Bücher über ECKANKAR

Wie man Gott findet
von Harold Klemp

Jeder von uns *erhält bereits* im täglichen Leben Führung vom Geiste Gottes. Sie führt zu innerer Freiheit und Liebe. Dieses Buch lehrt Sie, das zu erkennen und zu deuten. Der Autor gibt uns spirituelle Übungen, die der physischen, emotionalen, mentalen und spirituellen Gesundheit dienen. Und er schlägt uns vor, den Laut *HU* zu singen. Dieser Laut kann unser Leben verwandeln und uns innerlich anheben.

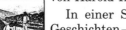

Das Buch der ECK Parabeln, Band 1
von Harold Klemp

In einer Serie von über neunzig leicht zu lesenden Geschichten—viele dem heutigen Leben der Schüler von ECKANKAR entnommen—zeigt uns Harold Klemp, wie man die verborgenen spirituellen Lektionen in den täglichen Geschehnissen finden kann.

Dieses Buch ist ein guter Begleiter beim Studium der ECK Kurse. Es läßt uns die Geheimnisse des Seelenreisens, der Träume, des Karma, der Gesundheit, Wiedergeburt und—als Wichtigstes von allem—der Initiation in das Licht und den Ton Gottes in alltäglichen Umständen erkennen, die wir verstehen können.

Kind in der Wildnis
von Harold Klemp

Dieses Buch teilt eine unglaubliche Erfahrung aus erster Hand mit, die für immer Ihre Art, über das Leben zu denken, verändern könnte. Es ist die Geschichte vom wahren Kampf eines Mannes auf Leben und Tod, um in den höchsten Zustand spiritueller Bewußtheit einzutreten, welcher der Menschheit bekannt ist: Die Gottrealisation.

"An verborgenen Stellen dieses Buches stecken Hinweise, wie auch Sie die Herrlichkeit Gottes erlangen können", sagt der Autor Harold Klemp.

Seelenreisende des Fernen Landes
von Harold Klemp

Harold Klemp gibt einen faszinierenden Bericht, wie er der Mahanta, der Lebende ECK-Meister, ein spiritueller Führer unserer Zeit wurde. Er macht Sie mit den spirituellen Geheimnissen anderer ECK-Meister bekannt, denen er als Seelenreisenden auf seinem Weg begegnete.

Wenn Sie schnell bedient werden wollen, rufen Sie in USA unter der Telefonnummer 001 612 544-0066 an, um mit Kreditkarte Bücher zu bestellen. Oder schreiben Sie an ECKANKAR, Att: Information, P.O. Box 27300, Minneapolis, MN 55427 U.S.A.

Vielleicht gibt es eine ECKANKAR Studiengruppe in Ihrer Nähe

ECKANKAR bietet dem spirituellen Sucher eine Vielzahl örtlicher und internationaler Aktivitäten. Mit Hunderten von Studiengruppen in aller Welt ist ECKANKAR auch in Ihrer Nähe! Viele Gegenden haben ECKANKAR Center, wo Sie in einer ruhigen Umgebung ohne jeden Druck die Bücher durchblättern können, mit anderen, die ebenfalls an dieser uralten Lehre interessiert sind, sprechen können, und wo sie an neu beginnenden Gesprächsklassen teilnehmen können, die sich mit dem Thema beschäftigen, wie man die Eigenschaften der Seele erwirbt: Weisheit, Macht, Liebe und Freiheit.

In aller Welt veranstalten ECKANKAR Studiengruppen besondere eintägige oder Wochenend–Seminare über die grundlegende Lehre von ECKANKAR. Sehen Sie im Telefonbuch unter ECKANKAR nach oder rufen Sie in USA unter der Telefonnummer 001 612 544–0066, um Informationen über Mitgliedschaft zu erhalten und zu erfahren, wo das von Ihnen aus nächste ECKANKAR Center liegt. Oder schreiben Sie an ECKANKAR, Att: Information, P.O. Box 27300, Minneapolis, MN 55427 U.S.A.

☐ Bitte senden Sie mir ein Veranstaltungsprogramm mit den nächstgelegenen ECKANKAR Informations– Gesprächs– oder Studiengruppen in meiner Gegend.

☐ Bitte senden Sie mir weitere Informationen über die Mitgliedschaft in ECKANKAR, welche ein zwölf-monatiges spirituelles Studium beinhaltet.

Bitte mit Schreibmaschine oder Blockschrift ausfüllen: 941

Vor–/Nachname _____

Straße & Nr. _____

Postleitzahl & Ort _____

Staat/Land _____